タリバンの眼《め》

戦場で考えた

佐藤和孝
Sato Kazutaka

PHP新書

山本美香に捧ぐ

はじめに

「中東には関心がない」「アフガニスタンは遠い国」「自分の生活とは関係がない」という人が多い。「日本とイスラムの世界は文化的・宗教的に相容《あいい》れない」という話も聞く。

しかし、本当にそうだろうか。

私は1979年のソ連によるアフガニスタン侵攻後、この地を自分の眼で見たいと思って足を踏み入れた。以来、何度も現地を訪れている。その経験からいえば、アフガニスタン人は西欧人よりもある意味で親しみやすく、理解できる人たちだ。日本人との共通点も多い。

また、遠い国の火の粉はいつ、どのように自分の国に降り掛かるかわからない。世

図表1　アフガニスタンと日本の位置

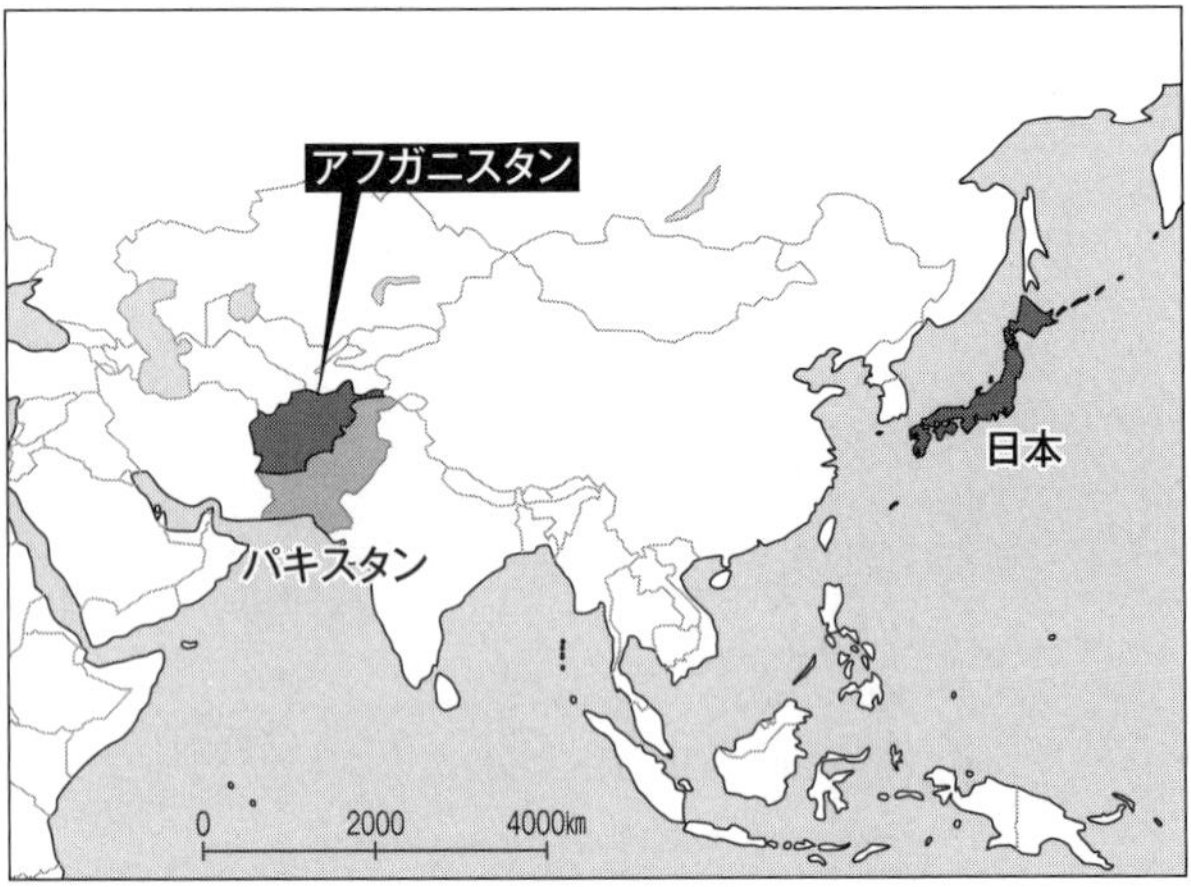

界はグローバル化しており、国際ネットワークを使って活動や勧誘を行うＩＳのような組織も存在する。世界の変革は辺境の地から始まるのだ。

２０２１年、イスラム主義組織のタリバンがアフガニスタンの首都カブールを制圧した。アメリカ軍がアフガニスタンから撤退し、暫定政権が発足すると、欧米のメディアは一様に「女性差別」「人権抑圧」についで報じ、タリバンを前近代の遅れた存在と見なした。21世紀の民主主義の眼から見れば、そういう話になるのだろう。

だが、われわれが日本の歴史を顧みたと

き、いまアフガニスタンで起きていることに、どこか思い当たる節があるのではないか（詳しくは第3章「中東は100年前の日本と同じ」をご覧いただきたい）。

この本は、新型コロナウイルスの感染拡大による「鎖国」後、再び海外へ関心を向けてもらいたいと思って著した。とくに、若い読者に（もちろん若くない方々にも）読んでほしい。世界にはまだ見るべきもの、知るべきもの伝えるべきことが沢山あると感じていただければ、望外の喜びである。

２０２１年11月

佐藤和孝

タリバンの眼《め》
——戦場で考えた

目次

第2章 ソ連侵攻から40年——アメリカは何を間違えたのか

第3章　中東は100年前の日本と同じ

第4章 ジャーナリストは抑止力である

序章

コロナとアフガニスタン

†歴史の変わり目を見たい

もしカブール陥落があと3日遅かったら——まったく悔やんでも悔やみきれない。私は当時、ニュース番組の取材のためにアフガニスタンの入国ビザを申請しており、アフガニスタン外務省から週明けに発給されるとの連絡を受けていたのだった。

2021年8月、イスラム原理主義組織のタリバンがアフガニスタンの首都カブールに無血入城し、暫定政権が誕生した。タリバンによる首都制圧は、米国の予測をはるかに上回る速さだった。迅速なタリバンの進撃に、世界が驚きを隠せなかったのはいうまでもない。01年のアメリカ同時多発テロののち、一時はタリバンを打倒したはずのアメリカは、20年の時を経て完全に敗北。米国など駐留する各国の通訳等、さまざまな業務に協力したアフガン人を置き去りに、不様《ぶざま》な撤退を余儀なくされた。いったい何が起きたのか。

図表2　アフガニスタン全土の地図

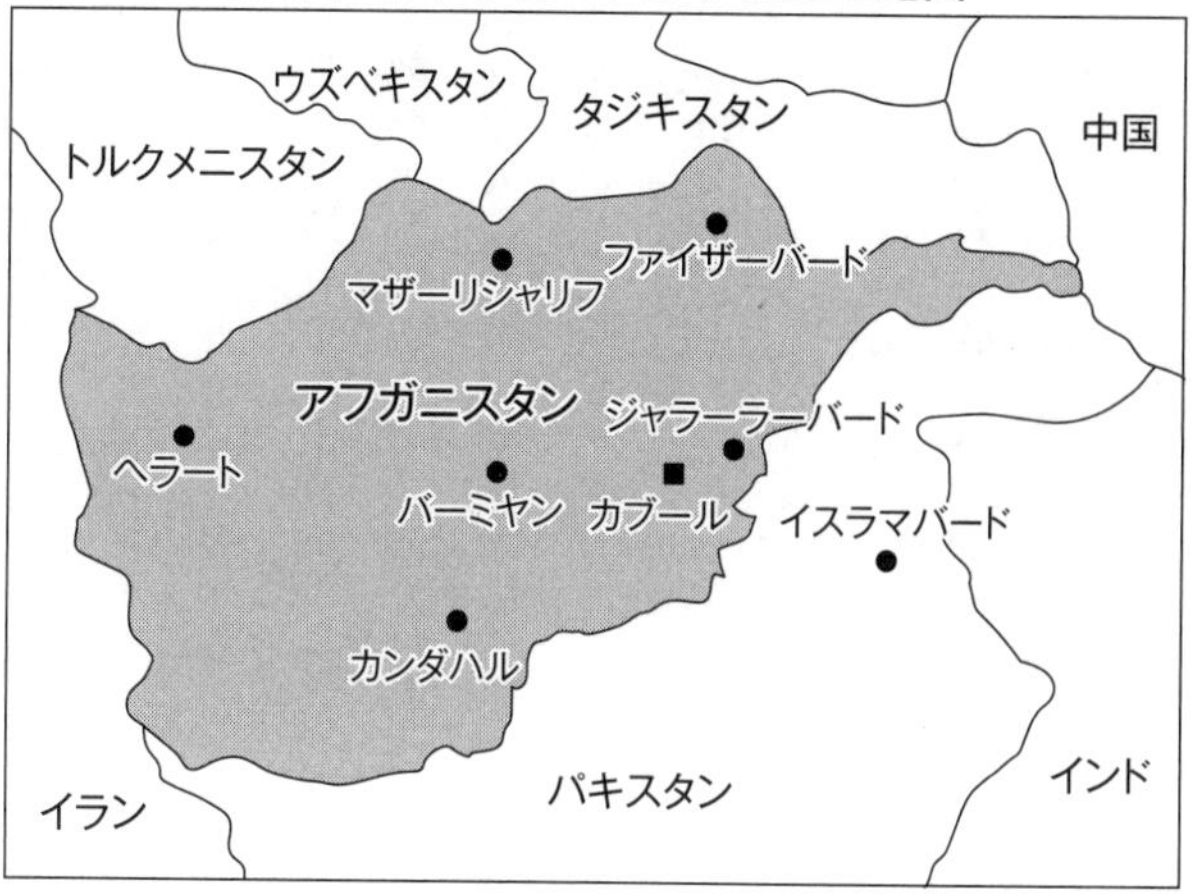

私は1992年、ムジャヒディン（イスラム義勇兵。ジハードを遂行する聖戦士を表すアラビア語「ムジャヒド」の複数形）がソ連に抵抗し、共産主義政権を打倒したときにアフガニスタンを取材で訪れている。タリバンが第一次政権を樹立した96年にも、同じく現地で取材を行なった。今回も「歴史の変わり目を見たい」「現地の人びとや街の姿を記録し、後世の判断材料を残したい」と思っていた。

タリバンがアフガン西部、北部など主要都市を電撃的な速さで陥落させるなか、私は、カブールの政治家や有力者と連絡を取り、彼らの支援のもとカブールに飛ぶ寸前だった。そのときすでに首都はタリバンに包囲され、カブール市内にタリバン戦闘員が突入したとの一報が飛び込んできた。

その後、幾度となくSNSなどを通じ連絡を試みたが、途絶えてしまった。一瞬繋がったSNSに「これから空港に向かう」との文字が届いた。その時点で脱出を試みる大勢のアフガン人が空港に押し寄せ、パニック状態になっていた。1日後に連絡が付いた友人は国外に家族と脱出していた。彼のような政党の指導者たちは、その力を使いタリバンの手から逃れることができたのだが、政権を支えた多くのアフガン人は取り残されてしまった。

アフガニスタンは遠く、平均フライト時間は17時間25分。その時間がさらに遠く、永久に失われたかのような無力感を味わっていた。政権が崩壊してしまったため私のアフガン取材は吹き飛び、歴史の目撃者になることは叶わなかったが、「現場に行きたい」――。この想いは変わらない。

カブールは標高1800メートルの高地にある。

† イスラム教は清潔教

アフガニスタンの新型コロナウイルス感染者数は、2021年10月末の段階で累計15・6万人、死者は7268人。アメリカの感染者数4580万人、死者74・4万とはケタ違いの少なさだ。

人口の多寡《たか》は別にして、理由の一つは彼らの清潔志向という説がある。

コロナウイルスの感染拡大時、キリスト教圏のアメリカやヨーロッパでは軒並み教会のミサを中止した。ところがこの間、イスラム教の礼拝ほとんど中止されることなく続けられていた。コロナの渦中にあっても、アフガニスタン人のフェイスブックを見ると会合やハグ、握手をする写真がいくつも出てくる。

たしかに考えてみれば、イスラム教は感染症の予防という点でたいへん効果的だと思う。何しろ毎日5回の礼拝時、彼らは「手」「口」「鼻」「顔」「腕」「髪の毛」「耳」

「足」の順に3回ずつ、体を清めている。「イスラム教は清潔教」と呼ばれるゆえんである。

ちなみにトイレでの排泄後、局部を水で洗う習慣もある。ウォシュレットを海外に広めた清潔大国・日本と同じではないか。

他方、ヨーロッパでは14世紀に「黒死病」と呼ばれたペストの蔓延の際、当時のキリスト教徒が裸になることを「不浄」と見なし、入浴の慣習を避ける傾向にあったともいわれている。潔癖と感染の因果関係は不明ながら、ワクチン接種も進み、アフガニスタンではコロナ禍は脅威とされていない。

†タリバンの人権抑圧、女性排除はいつか来た道

私はカブール制圧前、アフガニスタンへの渡航許可が出ていたら人権や女性をめぐる現状を取材しようと思っていた。

イスラムの戒律に基づき女性の就学や就労、理髪店でのひげ剃りを禁じる光景をテレビで見ながら、「以前とまったく変わっていない」と失笑した。1996年にタリバンが最初に政権を取った際と、まったく同じ光景だったからだ。その後、第一次タリバン政権が崩壊するや、皆が一斉に床屋に殺到したことを覚えている。タリバンの人権抑圧、女性排除はいつか来た道である。

†ハイヒールを禁止する理由

さらに、テレビドラマの台詞や歌詞のなかで愛や恋を語ってはならない、という。若者の風紀が乱れるという理由だが、われわれの眼から見ると、ずいぶんウブな考え方である。

思い出すのは初期のタリバン政権下で、女性のハイヒールが禁止になった理由である。女性のお洒落がいけないのかと思ったら、嘘か真か、意外な理由を聞いた。

カブール市内を歩く女性の多くは全身をコートなどで覆っている。

何と「女がハイヒールで歩いて床をコツコツ叩く音が、男の劣情を刺激するから」である。たしかに子供のころから男女を隔てた教育を受けていれば、女性への妄想がたくましくなるのも無理からぬことだ。

タリバンの政策がデジャブ（既視感）を伴うのは、第一次タリバン政権の中枢人物が今回の暫定政権にも残っている点が大きい。内務大臣のシラジュディン・ハッカーニはタリバンの創設メンバーで、過激派組織ハッカーニ・ネットワークのリーダー。FBI（アメリカ連邦捜査局）に指名手配を受ける身である。

ただし一つ、今回のタリバン政権が1996年と異なるのは、幹部がメディアに顔を出すようになったことだ。

第一次タリバン政権では、草花以外写真や映像で撮ってはならないとの「おふれ」が出ていた。当時のアフガン外務省の報道室長から、撮影禁止を言い渡された。偶像崇拝を禁止するためなのだというのだが、へそ曲がりの私は「パスポートの顔写真はどうなんだろう」心の中で呟《つぶや》くにとどめたのを記憶している。第二次政権のタリバンは前回の反省からか、発信・宣伝の重要性を認識するようになったのである。この点は、次章でタリバンとアルカイダ、ＩＳの違いを語りながら考えたいと思う。

第1章

タリバンとは何か?

†市街戦のまぼろし

「中立な報道」とは何だろうか。

海外の取材で何週間もカメラを回していると、膨大な量の画《え》を撮ることになる。もちろん自分の色を出そうとはことさら思わないが、どれほどニュートラルな意識のつもりでも、主観が入る。

どこまでカメラを引いて撮るか、何をフレームに入れるかはすべて個人の選択だ。さらに映像を編集で削《そ》ぎ落とし、テロップを入れる過程で、最終的に自分の考え方が必ず入り込む。読者や視聴者に伝えたいのは、たとえ映像による一次情報だとしても、簡単に鵜呑《うの》みにしてしまってはいけない、ということ。報道は監視カメラではない。

1986年、フィリピンの民衆蜂起が発生してマルコス政権が崩壊したときのこと

マルコス大統領が住むマラカニアン宮殿になだれ込んだマニラ市民。

だ。マラカニアン宮殿に人々が突入し、周辺では銃声が飛び交っていた。方々から火の手が上がり、群衆の雄叫《おたけ》びが轟く。カメラのフレーム内の映像は、市街戦さながらの光景だった。

ところがマニラの市街地に移動すると、お店はどこものんびりと通常営業。ナイトクラブの店内では女性たちがポールダンスをしている。あまりの落差に、「どちらが現実なのか」とまぼろしを見ているような気分だった。

しかし実際のところ、広い国土すべてが戦火に包まれているわけではない。ジャーナリストは鋭角的な伝え方をしがちで、その背後には生活がある。紛争の前線が動いて住宅地に近付いて砲撃が激しくなると、人々はリアカーに家財道具を載せていっせいに逃げ出す。あるいは瓦礫の山にならない限り、自分の土地や家を守ろうとする人もいる。戦火と日常はつねに紙一重《かみひとえ》であり、どの瞬間にどちらに変わるか、一本の綱の上で生きる人々を追いかけるのもジャーナリストの仕事である。

†もしタリバンに一カ月間同行したら

したがって、完全に中立な立場での取材というものはありえない。私のような従軍取材であれば、なおさらである。アフガニスタンの山岳地帯でゲリラと同行取材し、ピクニックのように皿や鍋を囲んで食事を共にすると、彼らの兄弟になったかのような錯覚を覚える。

もし私がタリバンに一カ月間、同行したら、たとえ取材対象であっても感化される部分はあるだろう。近付いて付き合わないと相手の本性が見えないのは、どの国のいかなる集団でも同じ。組織にいる人間のすべてが悪人ではない。いい奴もいれば、嫌な奴もいる。彼らとしても、好んで殺傷沙汰の世界に身を投じているわけではない。

かといってタリバンと完全に同化したり、阿《おもね》ることは決してない。単純に「悪いものは悪い」「駄目なものは駄目だ」と思える感覚が自分のなかにあり、その判断材料を大事にしているからだ。彼らの活動が間違いであればそう感じるし、明確に伝えている。

医師の中村哲氏のように、現地のパキスタン・アフガニスタンでの医療活動に従事し、水問題を解消するため用水路をつくった人物がタリバンに殺された（2019年12月、アフガニスタンのジャラーラーバードを移動中、銃撃を受けて死去）、と聞いたときはピンとこなかった。ドクター・サーブ（先生様）と呼ばれて尊敬を集めた人物を殺しても、一文の得にもならないからだ（タリバン報道官は関与を否定）。井戸を掘る際の部族同士の利権がらみの私怨に巻き込まれたのではないか、と推測するのみである。いずれにせよ、タリバンもまた一人の人間であり、理由なく殺害に走ることはありえない。

†両方の立場を知りたい

西側の人間はＩＳやタリバンを「テロリスト」と呼び、ＩＳやタリバン自身は「抵抗運動」だという。私はもちろん、最初からタリバンを貶《おとし》めるためにアフガニスタンへ行くわけではない。アメリカの見方も取材するが、タリバンの見方も取材する。ジャーナリストとして当たり前の姿勢だと思う。

実際、ムジャヒディンが政権を掌握したときはムジャヒディンに同行し、タリバンが政権を奪ったときはタリバンに同行して取材を行なってきた。

両方の立場を知りたい、というスタンスは中東取材に限らない。チェチェン紛争のときも、ボスニア・ヘルツェゴビナ紛争のときも同じだった。

ボスニアのセルビア人勢力とモスレム人勢力が大きく二つに分かれ、世界の共感はどちらかといえば劣勢のモスレム人勢力のほうに傾いていた。他方、民族浄化を行なったセルビアのミロシェヴィッチ大統領は「殺人鬼」扱いされた。それでも実際に現場に行って、自分の目で見て耳で聞かなければ、本当のところはわからない。

†つまりは銭

サラエボを二分するミリャツカ川にはいくつか橋が架かっていた。NATOの空爆後は橋の向こうから撃たれる心配がなくなり、ジャーナリストが行き来するようになった。セルビアとムスリムの人々のあいだを往還して「どうなの、そっちの具合は」と話を聞きに行ったものだ。

セルビア人と四方山話《よもやまばなし》をしているうちに、どうしたら両者の争いが解決するのか、という話になった。

「そりゃねあんた、銭だよ」

つまりは経済。「金持ち喧嘩せず」である。互いに食えるようになれば、誰も進んで殺し合いなどしない。もちろん一度、戦争をやってしまった以上、恨みは残る。それでも経済を活性化させて雇用が安定し、再分配が可能になれば、紛争は抑止でき

砲弾で崩れたビルのなかで遊ぶサラエボの子供たち。

る。

　セルビア人勢力の中核をなすのは、過激な右翼民族主義者チェトニックである。だが、山岳地帯からサラエボを包囲し、見下ろす街の中には、サラエボ出身のセルビア人もいる。さらに、過激派の周辺の人びとは普通の庶民にすぎない。

　彼らは力を持った過激派に従わざるをえない立場である。迷彩服を着た男が「俺はあの町の出なんだよ。見てくれ、ぐちゃぐちゃだろ。親戚や幼馴染が今でも住んでいるんだよ」。私を見つめる瞳の奥に複雑な感情が揺れていたことを覚えている。

　いずれにしても、組織は一枚岩ではない。モスレム人勢力にしても、メディアのスポットライトを浴びる良識派だけではない。どぎついことをやる連中が必ずいるし、穏健派と過激派で温度差がある。日本の自民党のなかに、ハト派とタカ派の議員がいるのと一緒である。だからこそ、両面を見なければならない。

　ただし日本の自民党と比べたら、タリバンのほうがはるかに呉越同舟で分裂している。そもそもは全員、生きていくために武器を手にした者たちである。幹部にのし上

ムジャヒディンの権力闘争で破壊され尽くしたカブールの旧市街。

がろうとする権力闘争に懸ける野心は日本人の比ではない。権力を得るためには人を殺すことも厭《いと》わないと同時に、いつ自分が殺されるかもしれない。ある日本の若い政治家が「『政治という戦場』にいてつねに鎧をまとい片時も刀を離さないが、鎧を脱ぎ捨てることができる伴侶を見つけた」とのことを真顔でいっていたが、アフガニスタンなどの本物の戦場では通用しない。日本の政治家の考えとはこんなものなのだろう。第一次ムジャヒディン政権時から風見鶏のように趨勢を見極めた連中、そして寝返った連中もいる。権力闘争のなかで、大臣やコマンダー（司令官）など私の友人も殺された。

人間同士の力のせめぎ合いを、片方に加担することなく両方、見てみたい。これが偽らざるところである。あらかじめ結論ありきで取材し、一つの主義・主張を代弁するためにペンやカメラを握るジャーナリストもいるにはいるが、ごく一部にすぎない。

†タリバンとアルカイダ、ISの違い

次にタリバンとアルカイダ、ISの違いについて触れておきたい。

タリバンという言葉は「タリブ」すなわち神学生の複数形である。イマーム（指導者）を養成する神学校「マドラサ」において、洗脳に近い宗教教育を受けた人々のあいだで生まれたのがタリバンである。

近年は、パキスタン・タリバン運動から派生したISIL-K（イスラム国ホラサン州）の名も聞く。イスラム教スンニ派の過激派組織で、アフガニスタン内部の抗争や権力闘争に敗れた勢力が、パキスタンの国境周辺に流れ着いて結成した分派に近い。パキスタンとアフガニスタン国境付近のデュランド・ラインというパシュトゥンによる部族の独占支配地域を活動拠点としている。

国内を地盤とするタリバンに対し、インターネットを活用して国際的に宣伝、発信

を始めたのがアルカイダである。さらに世界中から若者のリクルート（勧誘）を始めたのがＩＳ（イスラム国）だ。アルカイダやＩＳは西側から国際テロリズムの組織と見なされており、タリバン以上に広範な活動を展開している。

†じつは「世直し」運動だったタリバン

タリバンの成り立ちは１９９２年、ナジブラ政権が倒れてムジャヒディン政権が発足した当時に遡《さかのぼ》る。ムジャヒディンによる組織同士が権力闘争を繰り広げ、首都カブールの街は東と西に分断され、砲弾や銃弾が頭上を飛び交《か》っていた。

当時、全国で内戦状態が激しくなり、なかでもアフガニスタン南部のカンダハルが一大拠点となった。カンダハルはパシュトゥン人の聖地のような場所だが、当地を牛耳るムジャヒディンの司令官が、各所に勝手に検問をつくる。そしてトラックや自家用車が通るたびにいくら出せ、と通行料を徴収する。

たとえ司令官が横暴なやり方でカネを集めようと、政府は彼らをコントロールできない。そして人々が困っていたところに立ち上がったのが、タリバンなのである。じつは「世直し」運動の一つといってよい。

タリバンがカンダハルを拠点にしてカブールに続く各州の要衝を落とし、徐々にカブールに近づくにつれて、人々はむしろ歓迎するムードだった。当時の腐敗にまみれたムジャヒディン政権を倒し、私利私欲にまみれた司令官たちを追い払ってくれると期待していたのだ。

武力による制圧に加えて、カネの力が大きい。タリバンは悪辣《あくらつ》な司令官から陣地などの拠点を、文字通りカネで買っていったのである。無力な住民から金品を巻き上げる横暴な司令官たちを一掃する「世直し」の波が巻き起こり、ついにカブールまで到達したわけである。

ところが「タリバンの勝利で、ムジャヒディンの時代よりよくなる」と考えていた人々は見事にはしごを外された。発足したのは宗教抑圧的な政権であった。彼らは恐怖で人々を支配しようと考え、わずかでもイスラムの教えに背いて罪を犯せば、電線のケーブルで鞭打たれるという過酷な罰が加えられる世の中になってしまった。「パシュトゥンワリ」と呼ばれるパシュトゥン部族の掟、考え方を押し付けるかたちで支配が続くうち、徐々に民心が離れていった。さらに、タリバンはムジャヒディン政権の残党をすべて一掃するには至らず、国内勢力が二分化した。

†「ああ、疲れた」

当時のアフガニスタンは南部と北部が分裂し、タリバンが統治するカブールの北方数十キロのところに、北部同盟との前線があった。フロントライン上で対峙して押したり引いたりする戦闘が何年も続いており、私は南部と北部の両方を取材していた。

2000年のときである。ソ連との戦いに起ち上がった当初から知っていたムジャヒディン政権の党首ら首脳と話していて「それでこの先どうするの。いくら頑張って

も、いまの形勢でカブールを落とすのは無理でしょ？」と尋ねたら、そうだよな、取れないよな、と溜め息をついて一言、

「ああ、疲れた」

この言葉はとても印象的だった。当時はタリバンの支配地域がじわじわと広がってムジャヒディンの領土が急速に狭まっていた。追い詰められた状況下で戦い続ける消耗・疲労から、「いざとなったら亡命するしかないな」という言葉まで囁《ささや》かれた。

†「ライオンが死んだ」

そうこうしているうちに2001年9月9日、北部同盟の指導的立場であるアフマド・シャー・マスード司令官が自爆テロで暗殺されてしまう。9・11アメリカ同時多発テロのわずか2日前のことだった。

当時も私はアフガニスタンにいて、タジキスタンとの国境線に近い北部の町ファイ

ザーバードで取材を終え、くつろいでいたら衛星電話のベルが鳴った。受話器の向こうから緊張した声で、

「ライオンが死んだ」

「……ライオン。マスード将軍ですか」

問い返すと、そうだとの返事。電話の主は、日本でアフガニスタン通で知られる外交官。彼からマスード将軍暗殺を知ることになった。急いで東京に第一報を打ち、現地で取材を継続する旨を伝えたものの反応は鈍かった。アフガニスタンを知る者として、マスード暗殺は世界的なニュース。つまり北部同盟を束ねるマスード将軍が消えれば、タリバンがアフガン全土を掌握することが目に見えていたからだ。マスード将軍と同盟関係にあった司令官に連絡を取ると、受話器の向こうの声からは落胆の言葉しか聞かれず、戦意を失いかけているのがわかった。

北部同盟最高司令官アフマド・シャー・マスード。2000年、タリバンに暗殺される。

†棚からボタ餅だった9・11同時多発テロ

マスードが暗殺された現場であるタジキスタンとの国境の町ホジャバウディンに向かう準備をする中、いつものようにBBCラジオのニュースを聞いていたら、ニューヨークの貿易センタービルに航空機が衝突したとの放送が流れた。淡々と伝えるアナウンサーの声は、事件というよりも事故であるようなニュアンスだったように記憶している。

しかし、時間が経つにつれ状況は一変し、重大ニュースになっていった。日本テレビ報道局から事件の概要を知らせる電話が入った。「アルカイダがニューヨークを、アメリカを攻撃したようです」。落ち着いた電話の声に緊張がみなぎっていた。マスード暗殺からわずかに2日後のことだった。

ムジャヒディンの勢力が勢いを取り戻したのは、9・11からである。テロの発生直後に、司令官と連絡を取ると、彼らも何が何だかよくわかっていない。アメリカはアルカイダの犯行と断定し、ウサマ・ビン・ラディンを首謀者とした。ウサマを匿《かくま》っているのはタリバンである。したがってタリバンを潰《つぶ》さなければならない、という話が一足飛びに広まった。

現実的に、対タリバンの地上戦に使えるのは北部同盟の軍しかない。アメリカの空爆や巡航ミサイルのバックアップにより、ムジャヒディンの部隊が地上戦を担《にな》うことになった。このような経緯で貸しをつくった結果、第二次ムジャヒディン政権が生まれた。いわば棚からボタ餅であり、自力で奪取した政権ではない。

†パシュトゥン人でなければ国が治まらない

第一次ムジャヒディン政権の施政があまりにも杜撰《ずさん》だったため、立て直しの役割を求められたのが、２００２年にアフガニスタン暫定行政機構の議長に就任後、アフガニスタン・イスラム移行政権の大統領となったのがハミド・カルザイだった。

カルザイはアフガニスタン領内で戦闘経験がなく、当時、取材していた私にとっては無名に近い男だった。カンダハル州の裕福な家庭の生まれで、インドにあるヒマーチャル大学で政治学・歴史学を専攻したのち、フランスのリール大学でジャーナリズムを学んでいる。留学時代のコネクションを生かし、アフガニスタン救国民族戦線の報道官への就任を皮切りに、要職にのし上がった人物である。

カルザイが大統領になれたのは、結局のところ民族問題が大きい。パシュトゥン人のカルザイでなければ国が治まらないことを皆が知っていたのだろう。第一次ムジャヒディン政権のブルハヌディン・ラバニ大統領はタジク人で、パシュトゥン人との確執を招いて内戦をいっそう悪化させた。

†アルカイダはアメリカが生み出した

アルカイダの攻撃を受けたニューヨークの世界貿易センタービル。跡形もない。

他方、アルカイダを生み出した大元はアフガニスタン戦争にあるといわれる。アラブ諸国やイラン、パキスタンから義勇兵が流れ込み、ソ連の正規軍およびカブール政府軍に対抗するため、銃をはじめ重火器の扱い方を教え、1980年代後半には強力な対空秘密兵器スティンガーミサイルをムジャヒディンに与えたのだ。

ムジャヒディンは当時、口では「アメリカは地の底まで落ちよ」といいつつ、対ソ連の資金的・軍事的援助を受けていた。アメリカとしてもソ連を潰すため、彼らの組織力が必要だった。アフガニスタンの過激なパシュトゥン人たちの勢力を肥大化させた結果、アルカイダという、タリバンとは異なる国際路線のテロ組織が生まれた。

†ISの正体

そのアルカイダから派生したのが、ISである。ISの正体は、2003年のイラク戦争後に端を発する。

イラク戦争に勝利してフセイン政権を潰したアメリカは、サダム・フセインを支えたバース党のメンバーを新政府に一人も登用しなかった。

アメリカによって冷や飯を食わされ、不満を募らせたバース党の秘密警察やインテリジェンス（諜報・情報）機関の人びとが築いた組織が、ISの母体である。アメリカにイラクで叩き潰されたフセイン政権の残党が恨みと共に再び組織化し、宗教的な衣を着せたものといってよい。

第2章で述べるように、アメリカはアフガンからイラクへ政策をシフトするという失敗を犯し、フセイン政権を潰してしまった。その過ちが「パンドラの箱」を開け、自らをテロの標的とするISを生み出した。

†ザン（Zan）、ザル（Zal）、ザミン（Zamin）

アフガニスタンという国の趨勢《すうせい》は、人口の約40％を占める主要民族パシュトゥン人の意向に沿うところが大きい。彼らの掟に反する政策は実現しないし、ハザラやタジクなど少数民族の声は反映されにくい。

アフガニスタン人の考え方の一つに、ザン（Zan）、ザル（Zal）、ザミン（Zamin）というものがある。ザンは「女」、ザルは「お金」、ザミンは「土地」。これら三つをめぐる利害を、妥協を重ねてまとめ上げるのが政治の技量だが、悲しいかなアフガニスタンではどうしても欲望が先に立ってしまう。

私が目の当たりにした限りでも、根深いのは汚職である。1992年、共産主義で腐敗したナジブラ政権を打倒して政権を握ったムジャヒディンはその後、タリバンに政権を一度明け渡したのち再び政権に返り咲く。

ところが、そのムジャヒディン政権もナジブラと同様に、汚職に手を染めてしまった。私の知る指揮官は警察署長から内務省の将軍にまで上り詰めたが、そのたびに家がどんどん大きく、豪華になっていった。いくらか懐に入れたのはほぼ間違いないだろう。「あの党首はカブール市内にいくつもビルを所有している」という類の話も多い。

†薩長同盟という「奇跡」

ムジャヒディンによる共産政権打倒からの約20年は、トップに立つ人間の私腹を肥やすために費やされた、といっても過言ではない。政権の腐敗が国民の諦念や絶望を生み、民衆の労働意欲を失わせたと見ることもできる。

翻《ひるがえ》って日本の歴史を見た場合、明治維新を内戦やクーデターと同じと見る向きもありながら、リーダーたちの腐敗は少なかった。さらに、薩摩と長州というライバル藩同士が小異を捨てて薩長同盟を結び、ともに富国強兵に進んだことはのちの近代化につながる大きな違いだった。敵との共存を認めないムジャヒディンにとっては「奇跡」のような出来事かもしれない。

彼らいわく、中世のイスラム世界で勃興した天文学や数学、医学の水準は世界に冠たるものであり、「イスラム科学」の名は燦然《さんぜん》と輝いていた。しかし、十字軍の侵略と収奪によって過去の栄光が失われてしまったのだ、と。だが私にいわせれば、それ以降の頑張りはどこへ行ってしまったのか。学問でも芸術でも傑出していたイスラム世界を武力以外で再興する人がなぜ出てこない（こられない）かだ。

†資源も産業もない

加えて、アフガニスタンには資源や産業と呼べるものがない。ある国際政治学者が「タリバンはカネのないサウジアラビアだ」といったが、言い得て妙である。サウジの王族が世界中から何をいわれてもびくともしないのは、オイルマネーという力があるからだ。

他方、アフガニスタンにあるのはアヘンと羊ぐらい。彼らにとってはシンプルな話で、同じ単位面積の耕地でアヘンをつくるか、麦をつくるかを考えた際、迷わず実入りがよい前者を選んでしまう。農業・畜産はオーストラリアやデンマークのような輸出産業になりえず、国内でもしばしば旱魃《かんばつ》が起きて供給がままならない。国力の基盤としてはきわめて脆弱で、以前からあるといわれる鉱物資源も共産主義政権の時代から40年間、調査も開発もせず放置してきた。

農業や牧畜に関して、彼らは自分たちの食べる分だけをつくるという考え方だ。羊や鶏、ラクダを育てて食べるというのは、ある意味で効率がよい。だが、そうしたやり方が国家としての産業になるはずもない。

日本の歴史を遡れば、日韓併合（1910年）後の日本による朝鮮統治の時代、朝鮮総督府は食料の自給に加え、工業原料やコメの輸出ができるように改良政策を推進した。さらに工場や学校を建てて教育を施し、彼らが自発的に産業化の道を歩めるよう後押しをした。結果として50年後の1960年代後半、韓国に「漢江の奇跡」と呼ばれる高度成長が起きた。

アフガニスタンが同様の道を辿るには、あと何年かかるだろう。ソ連はアフガニスタンに対して支援や指導を行なったけれども、何しろ官僚主導の共産主義、社会主義のシステムに基づくものだ。アフガニスタン経済にどれほどプラスの効果があったかは疑わしい。そもそも40年以上、戦争を続けている国で経済を成長させることが不可能という見方もある。

当のアメリカにしても、景気が悪化してプア・ホワイト（貧しい白人）層の失業という憤懣《ふんまん》がトランプ大統領を当選させ、あわや内戦状態に近い分断を生み出したのは記憶に新しい。暴言上等のトランプの姿が「本音なら何をいってもよい」という勘違いを生み出し、アメリカ国内に大混乱をもたらした。

民主主義のアメリカでさえ、根強い人種差別や憎悪がリベラルの社会構造の下に積もっており、いつマグマが噴き出すかわからないということだ。社会を縁の下で支える不満分子や反社会勢力の行き場がなくなった途端、タリバンのような組織が「雇用口」として彼らを吸い上げる。

タリバン政権下での市民の足は自転車だった。女性は夫や親戚以外に姿を晒《さら》してはならない。

たしかに日本から見ればアフガニスタンは遠く、世界の繁栄から見捨てられた国かもしれない。しかし歴史を見れば、アフガニスタンは古来「文明の十字路」と称されてきた。

†「文明の十字路」「シルクロードの拠点」

アフガニスタンは紀元前の時代から、東西の文化の結節点だった。代表的なのは、パキスタン北西部（インダス川の支流に囲まれたペシャワール盆地）に栄えたガンダーラ美術の影響だろう。２００１年、タリバンによって破壊されたバーミヤン渓谷の石仏・石窟も、ガンダーラ仏教美術の一つである。

アフガニスタン内の遺跡から出た出土品を見ると、アレキサンダー大王の東征による古代ギリシア文明の影響や、交易によるインド、シリア、ペルシャの影響が強い。インドの女神像やローマ、エジプトのガラス・青銅・石膏《せっこう》製品も国内の遺跡から出土

1989年1月、政府軍からムジャヒディンによって解放されたバーミヤン。西の大仏の敷地には、政府軍の戦車が放棄されていた。

戦乱を見続けてきたバーミヤンの西の大仏は、高さ55メートル。

2001年、タリバンに大仏は木っ端微塵に破壊された。

している。

アフガニスタンはまた、シルクロードの拠点の一つとして知られる。マルコ・ポーロや『西遊記』のモデルだった唐代の僧・玄奘三蔵《げんじょうさんぞう》も通った国だ。

「一帯一路」とソ連の南下政策

さらに現在、中国が進めるシルクロード経済圏構想「一帯一路」も、アフガニスタンと関わりを持つ。

パキスタン南西部からイラン南東部、アフガニスタン北西部、トルクメニスタンに居住するバルチ族という民族がいる。

バルチ族の一部は現在、バルチスタンの分離独立を掲げるバルチスタン解放軍（BLA）として活動しており、中国とのあいだで軋轢《あつれき》を生んでいる。バルチスタンは資源が豊富で近年は中国企業が進出しており、BLAによれば「自国の資源が収奪されている」という。

パキスタンとアフガニスタンの国境は、地政学上の要衝である。以前はアメリカもこの地域を梃子《てこ》入れしようと、アフガニスタンの国境に近いパキスタンのクエッタからカンダハルを通る石油パイプライン構想を立ち上げた。しかし結局、頓挫してしまった。

他方、かつてのソ連にとってパキスタンは南下政策の重要な通過地点である。とくに、パキスタン最大の都市カラチの港を不凍港として求めていた。ソ連は1971年～75年の第四次5カ年計画でパキスタンに当時2億ドルを投じ、カラチ地区に年産200万トンの製鋼所を建設した。インフラと借款債務によって相手国を雁字搦《がんじがら》めにする手法は、現在の中国とほぼ同じといってよい。

†中国人のアルカイダと会う

タリバンに対する中国の接近ぶりが近年、報じられている。中国は暫定政権樹立前の2021年7月に、タリバンの代表団を招待した。カブール陥落後は暫定政権の樹立を「必要なステップ」とし、王毅外相は300万回分の新型コロナウイルスワクチンの提供を表明した。

接近の理由は簡単で、ウイグル対策である。

新疆《しんきょう》ウイグル自治区におけるウイグル族の人口は1000万人を超えており、中国共産党にとって大きな脅威である。ウイグル族はイスラム教徒であり、もしウイグル族の武装勢力がアフガニスタンを経由して中国の新疆ウイグル自治区に侵攻してきたら、甚大な損害を受けることが予想される。

2000年、マスード将軍の出身地パンジシェールを取材した折に戦争捕虜収容所

パンジシェール渓谷の捕虜収容所で会った、新疆ウイグルから来たアルカイダの戦士。

を訪れる機会を得ることができた。

深い渓谷に切れ込んだ険しい石ころだらけの斜面を一時間以上登ると、石積みの建物が岩肌に溶け込むように立っていた。看守の案内で鉄格子の小窓のついた扉を開けると、5、6人のアジア系の顔をした男たちが囚《とら》われていた。

看守が「中国人のアルカイダだ」と男たちに向けて顎《あご》をしゃくった。どこから来たかを尋ねると、ウイグルだとの答えが返ってきた。中国が支配する新疆ウイグル自治区から来た若者たちである。

「我々がここに来たのは、アルカイダから戦闘訓練を受け、故郷に戻り中国と戦うためだ」

彼らは、中国共産党にとってはテロリストだが、ウイグル族にとっては解放闘争の英雄と映っているかもしれない。

†中国共産党のアキレス腱は新疆ウイグル自治区にあり

中国がパキスタンと友好関係を築いているのも、同じ理由だ。中国とパキスタンの国境に位置するクンジュラブ峠を越えればすぐ、新疆ウイグル自治区である。パキスタンがイスラムの革命的原理主義者の後背地、出撃地にならないように外交でコントロールをしている。統制はメディアにも及んでおり、以前、パキスタンでCNNを見ていて、民族関連のニュースになった途端にビーッと雑音が入り、一瞬で画面が消えてしまったことがある。

ということは、裏を返せば中国共産党の弱点は新疆ウイグル自治区にある、ということだ。

相手のアキレス腱が明らかなのだから、日本が中国を脅威と見なしているのであれば、新疆ウイグルに上手に手を突っ込む。最低でも、現地の情報を継続的に取る。な

■図表3■ 新疆ウイグル自治区とパキスタン、アフガニスタンの位置

ぜ、そういう考え方をしないのだろう。中国を揺さぶる格好の材料ではないか。

ロシアでリストラされた兵士たち

他方、ロシアの動きは一つの焦点である。アフガニスタンの鉱物資源については前述のようにソ連時代から話題に上っており、中国も交えて近年、レアメタル（希少金属）をめぐる資源争奪の動きが浮上している。プーチン政権のロシアにいまのところ目立った動きがないのは輸送コストや妨害のリスクを図ってのことだろうが、仮に

鉱物資源を手に入れたとしても、利潤を上げるところまでは至らない気がする。

２０１４年、ロシアがウクライナのクリミアに電撃侵攻したのは記憶に新しい。私がウクライナを取材で訪れたとき、現地にロシア人の義勇兵が大勢いた。

話を聞いてみたところ、何と彼らは本土でリストラされた兵士や将校たちだという。彼らの中には、偵察や砲術、地対空ミサイルの専門家など軍事技術に長《た》けた者たちが参戦していた。ロシアで行き場をなくしたのでウクライナにいるのだという。

「ウクライナで一旗揚げれば、土地がもらえる」

彼らもまたタリバンと同様、生活のために働いている。主義・主張は関係ない。

そのタリバンにしても、前述の神学校で学びを深める者は一部であり、末端まで思想が普及しているわけではない。「食うために働く」。ボスニアでもチェチェンでも事情は変わらない。ムジャヒディンの司令官が人心を集めたのも「たらふく飯が食える」という話が民衆のあいだで広まったからだ。テロリストになるのも、ほかに職業の選択肢がないからである。

令和の日本では考えにくいかもしれないが、じつは沖縄に基地があるのも、貧しい地方に原発があり、ヤクザが多いのも、根本は同じ理由である。人間の世界とはそういうものなのだ。

†「日本もモスレムの国にしたい」

もちろんタリバンやISのなかでも過激なイスラム主義者は、世界をすべてイスラム教に染めようと思っている。

自衛隊のイラク派遣時、サマワのイスラム原理主義団体事務所の前に日の丸を書いて踏みつけていた男がいた。彼は真顔で「日本もモスレムの国にしたい」と語った。

さすがに「無理ですよ」とはいえず「ふーん、そう」としか答えられなかった。だが、普通のイスラム教徒がそこまで思い詰めているかはわからない。

ただし「世界を自分の思い通りにしたい」と考えているのは、イスラム原理主義者たちだけではない。中国やアメリカ、イギリスもロシアも、大国の権力者たちは「自分たちが世界をどう動かすか」を頭に入れている。誇大妄想にも映るが、それは同時に、世界における自らの立ち位置を決めることでもある。

日本のように、ひたすら受け身の立場で「北朝鮮が暴発してミサイルが来たら」「中国が尖閣諸島に攻めてきたら」「アメリカの第七艦隊が助けにこなかったら」等々、相手の心配ばかりしている国はない。

†陸軍中野学校を思い出せ

日本人はいつまでも国内に蟄居《ちっきょ》していては駄目だ。外に出て情報を集め、世界で起きていることに再び目を見開く時期である。

スマートホンに毎分毎秒、流れてくるニュースサイトの1行記事が世界だと思ってはいけない。

とくに生まれたころからスマホ、ＳＮＳ漬けの世代は比較する実体験がないので、注意が必要だ。子供のころに読んだアナログの本、プリントされた写真がいつまでも記憶に残るのは、デジタルとは別の力を持つ証拠である。

情報過多で生の声を聞かなくなっているのは、子供だけでなく大人も同じだ。ジャーナリストだけでなく外交官も、安全柵の外へ出なければならない。

事実、タリバンのカブール陥落を察知できなかったこと自体が、陥落数日前まで「カブールは大丈夫だ」といってきたアメリカに情報を頼っていた証だった。日本が主体のインテリジェンス活動を行わないと、アメリカのように国家としての判断を大きく間違えてしまう。

アフガニスタンの市井《しせい》に入りこもうとせず、タリバンは自分とは違う人種だと思い込むことで、世界の情報を知ろうとする努力を怠り続けてきた。会うのは国連関係者や各国の大使、外交官レベルばかりで、辺境やバザール（市場）に通って交渉や買い物、情報を仕入れることをしてこなかった。

だが１９３７年、日本にも諜報活動の必要性を感じた岩畔豪雄《いわくろひでお》中佐の具申により、陸軍省が陸軍中野学校をつくったことをご存知の方も多いだろう。最初はスパイ養成機関として発足し、太平洋戦争開戦後はゲリラ戦を教える機関となった。まさしくタリバンと同じではないか。

アメリカからの情報、アメリカ帰りの人間からの情報コミュニティに頼っていてもいけない。前述したように、事実は「両方から」見てみないとわからないことが多いからだ。

アフガニスタンが世界から「忘れられない」方法

仮にアフガニスタンの現状に皆が匙《さじ》を投げて、この地が世界から放置されることになったとしたら、タリバンはどうするのか。

私がタリバンの幹部だとしたら、もちろん「忘れられない」ように手を打つだろう。

２０２１年10月３日、カブールにあるモスクの出入口付近で爆発テロが起きて10人が死亡、複数の負傷者が出た。当時、モスク内ではタリバンのムジャヒド報道官の母親の葬儀が行われていた。

するとタリバンは報復として、カブールでＩＳＩＬ−Ｋの掃討作戦を展開した。今後、似たようなテロと報復は繰り返されるだろう。タリバンはテロの掃討を掲げて国際的にＰＲし、併せて治安維持の名目で資金を引っ張ってくる。むしろ治安が安定しないほうが資金の確保につながる、ということだ。彼らはその程度の計算はしている。

アメリカやヨーロッパ諸国、そして日本が中東から逃げれば逃げるほど、より事態は悪化していくのだ。

第2章

ソ連侵攻から40年——アメリカは何を間違えたのか

†ギョロ目の印象

「はじめに」で記したように、私がアフガニスタンを初めて訪れたのは1980年。前年12月のソ連によるアフガニスタン侵攻がきっかけだった。

まったく何のつてもなく、隣国のパキスタン経由でアフガニスタンへに入ったのは24歳のころ。パキスタン・カラチの飛行場に降りた瞬間、行き交う人々のギョロ目に圧倒された。怖いというより、完全な異世界に足を踏み入れてしまった、という印象だった。

パキスタン北西の辺境地帯にアフガニスタンのゲリラ各派の事務所がある、との新聞情報だけを頼りに、ホテルやリキシャ（三輪車、語源は「人力車」）の運転手に尋ねて回った。

ゲリラの事務所を見つけて毎日「連れていってください」と通い詰めて頼み、よう

▮図表4▮ 1979年以降のアフガニスタンをめぐる略年表

1979年	ソ連によるアフガニスタン侵攻。軍事介入によってカルマル政権が誕生、ムジャヒディンの武力による抵抗が始まる
1988年	カルマルからナジブラへの政権譲渡。駐留ソ連軍の撤退を定めたジュネーブ合意が成立
1989年	ソ連軍がアフガニスタンから完全に撤退。冷戦が終結
1991年	ソ連邦の崩壊
1992年	ソ連の後ろ盾を失ったナジブラ政権が崩壊。ムジャヒディン各派による連立政権が発足
1996年	タリバンが首都カブールを陥落
2001年	アメリカ同時多発テロの発生。アメリカ・イギリス軍がアフガニスタンの空爆を開始する
2003年	イラク戦争が開戦
2011年	アメリカ軍によるビン・ラディンの殺害
2020年	アメリカとタリバンの和平合意
2021年	タリバンがカブールを再び陥落。アメリカ軍がアフガニスタンから完全撤退

やく輸送部隊の弾薬トラックに乗せてもらったのがすべての始まりである。いま考えると無茶苦茶だが、それなりに手続きは踏んでいたことになる。

パキスタンとアフガニスタンの国境まで行くと、広漠とした道に兵士が2、3人ボヤーッと立っている。互いに「よう」などと声を掛けるや、そのまま素通り。初めての国境通過に「これが国境なのか」と拍子抜けした記憶がある。もちろん主要な流通ルートは警備が固いが、緩い地点ではそんな程度だった。

†一つの文明としてのイスラム

1970年代のアフガニスタンの写真を見ると、共産主義政権時代のアフガニスタンでは女性がミニスカートで街中を歩いている。意外に規範が緩い社会だったのだ。その空気が変わったのは、ムハンマド・ダウド首相の時代である。

ダウド政権は軍事的・経済的援助と引き換えにソ連の指導を受けた。国内の宗教弾圧を強め、思想統制を施した。これに対し、ソ連の共産主義に反発してイスラム主義の炎を燃やしたムジャヒディンがソ連との対決姿勢を強めた。

第1章で記した義勇兵、そしてアメリカの支援により、ソ連も2021年のアメリカと同じように、1988年から89年にかけてアフガニスタンから撤退することになった。

つまりこの国を共産主義化しようとしたソ連の狙いも、民主主義化しようとしたアメリカの狙いも、共にアフガニスタンの壁の前にもろくも崩れ去ったことになる。専制主義に近いという意味では、共産主義のほうがまだしも芽があったかもしれない。

だが、やはりイスラムはイスラムである。国際政治学者のサミュエル・ハンチントンが『文明の衝突』で記したようにイスラムは7世紀以来、一つの独立した文明ということなのかもしれない。

†ベトナム戦争以来の「完全敗北」

2021年8月15日のタリバンによるカブール制圧、26日のカブールの国際空港近辺での自爆テロによるアメリカ軍兵士らの死亡、そして9月のアフガニスタン撤退は、アメリカにとって1955年から75年まで20年を費やしたベトナム戦争以来の「完全敗北」である。まぎれもなく歴史の大転換点といってよい。

たしかに以前から、アフガニスタン国内では一般市民のあいだでもアメリカのアフガニスタン撤退が囁かれていた。「アメリカ軍がカブールから撤退すれば、重しを失ったガニ政権はもたずに早晩、潰れるだろう」。それにしても、これほどあっけない幕切れとは思わなかった。

2001年にアメリカがアフガニスタンに侵攻してから20年。外来の価値観の影響を受けて生まれ育った子供が成人した頃合いである。ソ連共産主義に抑圧された体制

1982年、バーミヤン。ムジャヒディンが破壊した政府軍の戦車。

下で生きてきた庶民は、タリバンやアメリカの到来によって社会に自由な雰囲気が生まれ、いままでと違う未来が開ける期待を抱いたはずだ。

ところがアメリカ軍はアフガニスタンから撤退してしまい、もういない。タリバンの完全勝利といってよいだろう。

いま思えば、２０２１年８月にタリバンが電撃的に侵攻したのは、コロナ禍だったことの影響が大きい。アメリカやヨーロッパ諸国が軒並み国内の感染爆発を起こし、医療崩壊やロックダウンなど種々の緊急事態に見舞われるなか、中東の対応に経済的資源や人的資源を割《さ》く余裕はとうていなかった。タリバンは欧米の内政状況をつぶさに見て、いわば間隙を突くかたちで攻めの手に出たように思われる。

いずれにしても、コロナ・パンデミックがタリバン快進撃の追い風になったことは間違いないだろう。

カブール市北方に陣取るタリバンを空爆する米軍。

†いったい何をしに行ったのか

「アフガニスタンでのアメリカの任務は、民主主義国家をつくることではなかった」

右の言葉を聞いた瞬間、まさにひっくり返る思いだった。オフレコの話でも何でもない。2021年8月、カブール陥落後にバイデン大統領が行なった、アメリカ合衆国のトップによる公式のスピーチである。

アメリカの目的が民主主義国家の建設ではないというなら、いったいアメリカは何をしに行ったのか。なぜウサマ・ビン・ラディンを殺した時点で、アメリカ軍を引き返させてこなかったのか。

おまけに1976年、アフガニスタンにおける対ロシアの軍事的プレゼンス（存在）を示すため滑走路をつくって梃入れし、ソ連のアフガニスタン侵攻時には最も重要な軍事的拠点だったバクラム空軍基地を、アメリカ軍はいとも簡単に手放してしまった。

†アメリカがもたらした成果は?

何よりアメリカとヨーロッパ諸国、アフガニスタン政府、そしてカルザイ政権ならびにガニ政権は20年間、アフガン民衆のためにいったい何をしてきたのだろうか。

欧米諸国が資金を拠出したはずのインフラ構築は、道路や電気、水道、ガスのいずれも地方にまで行き届いていない。

アフガニスタン国内には、首都カブールからマザリシャリフ、ヘラート、カンダハルまで円を描くような幹線道路がある。だが以前に通訳と運転手、コーディネーターとアフガニスタン全土を一周した際は、この道路すら未整備だった。カブール—カンダハル間は至るところで内戦によって道路が破壊され、アスファルトがあちこち破壊されて道が凸凹になっていた。

アメリカがもたらした成果といえば当時、アフガニスタンの街を歩いて目にしたのが、花嫁がウェディングドレスを着た欧米式の結婚式だった。立派なビルや大型ショッピングセンターも増えたが、目に見える変化はその程度かもしれない。

アフガニスタンの人々が口にしていた「(政権は) タリバンでも何でもいい」という言葉を思い出す。タリバン台頭の背景に、国内のインフラ整備が全く進まない惨状があったことは事実だろう。経済支援の多くが賄賂の闇に消え、国民の益にまで届かなかったのは間違いない。

行政や治安維持にしても本来、アメリカが土台をつくったのち、アフガニスタンの政府や軍・警察に移譲して速やかに引き揚げるのがアフガン国民にとってもプラスだったはずだ。

にもかかわらず20年間にも及ぶ内政干渉を続けた挙げ句、何もつくれずに去ってしまう。現地の絶望と諦念はいかばかりだったろうか。

†国家の条件——徴税と雇用

何をもって国民国家と呼ぶかの基準は、よくわからない。ただ一ついえるとすれば、国家は税によって成り立つ。徴税システムが機能していれば、いちおう国家の必要条件を満たしているといえるだろう。

その基準からすれば、アフガニスタンは国家ではない。

幾度となくこの国を訪れているが、個人や世帯、法人レベルで漏れなく税金が徴収されている気配はついぞ感じたことがない。税金の対価として医療や福祉などの公共サービスを受け、税金によって建設された道路のインフラを享受する、という原則は成立していない。

アフガニスタンの人がタリバンに入る理由は、驚くほど単純だ。「仕事がないから」。アヘンを売るよりほかに職がないような人々が、この国にはいくらでもいる。20年間、アフガニスタンに関与しながら雇用をつくれなかったというのは、いくら何でもお粗末だった。仕事をあげることができれば、たとえ民主主義が根付かなかったとしても、アメリカが民衆の失望や憎悪を浴びてアフガニスタンから追い出されることはなかったはずだ。

†そもそも国民の意識がない

アメリカはアフガニスタンを民主主義国家にしようとした。ところが、そもそも彼らにアフガニスタンの国民という統一意識があるか、疑わしいところがある。

すでに説明したように、アフガニスタンはスンニ派とシーア派が敵対する国である。最大民族のパシュトゥン人はスンニ派（アフガニスタンの人口の約80％）であり、「アフガニスタンは自分たちのもの」と思っている。

他方、少数民族のハザラ人はシーア派（アフガニスタンの人口の約20％）を信仰して

第二次ムジャヒディン政権の下、カブール市内に近代的なビルが建ち並ぶようになった。

いる。民族と宗派という二重の点から、差別の対象となってきた人々である。怖いのは、タリバン政権下で内乱が生じた際、混乱に乗じてハザラの弾圧が始まることだ。

またきわめて少数ながら、アフガニスタンにはキリスト教徒もいる。

†いまだに理解不能のイラク戦争

アメリカのアフガニスタン統治はなぜ失敗したのか。大元を辿れば、イラク戦争に踏み切った情勢判断の誤りに尽きる。

2003年3月17日。当時のブッシュ大統領は突如、アメリカ全国に向けたテレビ演説で「48時間以内にサダム・フセイン大統領と家族のイラク国外退去を命じる。応じなければ全面攻撃を行う」旨を宣言し、イラクへの最後通牒を突き付けた。

なぜ当時、アフガニスタンの統治を捨ててイラクに手を出したのか。いまだに理解できない。想像するにブッシュ大統領は当時、アフガニスタンの混乱状況はある程度、収束したと判断してイラクへ舵を切ったのだろう。たしかに当時、アフガニスタン各地を巡ってわかったのは「タリバンはアフガニスタン国内で十分な活動ができていない」ということだった。

とはいえ、理由も定かではなく突如、「サダム・フセインのイラクが大量破壊兵器をつくっている」と断言してアフガニスタンからイラクにパワーシフトを行い、フセイン政権を潰そうとした。

イラクのシーア派を太らせて宿敵イランと組ませる愚策

さらに大きな問題がある。イラク国内のイスラム教徒のうち、65〜67％はシーア派である。サダム・フセインは少数勢力のスンニ派であり、シーア派の拡大を懸念して台頭を抑えていた。

にもかかわらず、アメリカがフセイン政権を潰してしまったら、いったいどうなるか。イラクで選挙を行えば、シーア派の圧勝が目に見えている。イラク国内のシーア派勢力が拡張したうえ、隣のイラン国内で90～95％を占めるシーア派と手を結ぶのは明らかだ。

中東におけるアメリカの最大の敵は、イランアメリカ大使館人質事件（1979～81年）で辛酸を舐めさせられたイランである。イスラム革命防衛隊率いるイスラム法学生にテヘランのアメリカ大使館を占拠され、人質救出作戦も失敗するという惨めな結果をもたらした。

その宿敵イランに対し、イラクのシーア派を太らせて組ませるという愚策を誰がなぜ、どのようにして思いついたのか。

アメリカにも優秀な中東専門家はいたはずで、ブッシュ政権周辺のネオコン（新保守主義：自由主義や民主主義を掲げ、アメリカの理念を海外へ広げるために積極的な国際介入を行う考え方）の人々に排除されたと考えるのが自然だろう。大量破壊兵器の物証はいっさいなかったが、軍需産業と復興需要に関わる企業経営に携わる人々は、イ

米軍の攻撃は、日に日に激しさを増していった。

ラク戦争でそうとう利益を得たはずである。

しかし、ついにイラクの地に民主主義が根付くことはなく、復興も中途半端に終わった。フセインの残党を排除したため、与党だったバース党の権力やノウハウをいっさい借りなかったのだから、当然の結果である。日本を占領したのちのGHQ（連合国軍最高司令官総司令部）でさえ、日本の枢要を占める人々に一時的な公民権停止は課したものの、全員を総取り替えするような真似はしなかった。

もう一つの愚は、いわずもがなテロの報復によってISを生み出してしまったことだ。2014年以降にISが占領したイラクの土地では、北部のニネベ平原のようにキリスト教徒に改宗しない者には納税、退去もしくは死しかないという有り様だった。まさに力の支配である。したがってISを排除するためには、同じく物理的な力を行使し、強権をもって治安を回復させるしかない。

†直線の国境線に対する恨み

アラブの世界は復讐によって成り立っている。家族を殺されて仇討《あだう》ちをしないものは男ではない、という文化である。つまりアメリカが20年かけて与えてきた屈辱は、最低でも同じ時間をかけて必ず返される、ということだ。

アメリカは民主主義の導入により、部族の紐帯によって構成されるアラブのシステムを破壊し、彼らの誇りを傷つけた。そのことの重みにアメリカ人が気付くのは、まだ先のことなのかもしれない。

さらに遡れば、アングロ・サクソンが中東全土に不自然に引いた直線の国境線に対する恨みがある。それまでの集落の境界を表す山や川、湖や砂漠の自然な線を完全に無視して新たな国境の線引きを画策したのは、イギリスだった。第一次世界大戦中の1916年、イギリスはオスマン帝国から独立したがっていたアラブに支援を約束する一方で、フランスとのあいだでこっそりアラブ分割をめぐるサイクス・ピコ協定を結んでいた。

以後、石油をめぐる利権のなかで残された国境線という負の遺産が、中東の混乱を招いた要因である。もし解決できる国があるとすれば当時、紛争の種を蒔《ま》いた最大の当事者であるイギリスしかない。ところが性質《たち》の悪いことに、統治者にとって地域内が分断されて争っている状況は都合がよい。被支配者を分割することで勢力を削ぎ、全体を支配する「分割統治」の状態そのものである。

†人は大惨事が起こるまで何もしない

かえすがえす残念なことに、仮に2003年にアメリカがイラクへ侵攻せず、アフガニスタンにとどまって民政に力を入れていたら、現在の惨状はなかったと思う。

それにしても日本の外交官であれば、この程度の構図は誰でも見えていたはずだ。

タハリール広場に建つフセイン像を倒しに集まった市民。

にもかかわらず、誰もアメリカの政策の誤りを口にせず、政治家もブッシュ大統領を諫《いさ》めようとしなかった。日本もまた、アメリカと同じく判断を誤ったのではないか。

ブッシュ大統領が大量破壊兵器の存在という偽の情報に惑わされたように、われわれ人間は往々にして当たり前のことが見通せず、自分に都合のよい情報に飛びついて判断を誤りがちだ。反対に、悪い情報にはなかなか耳を貸したがらない。

2003年3月20日にイラク空爆が始まった日も、私はバグダッドにいた。空爆の当日、直前まで皆が感じていたのは「アメリカは本当に空爆をやるのか」ということだった。日本テレビの特別支局長としてバグダッド入りしてすぐに中継を入れ、市街に出てバグダッド市民に話を聞いた。48時間以内を期限とした最後通牒が出たとき、人々の多くは同じく懐疑的だった。

そのときに感じたのは結局、人間というのは大惨事が目の前で起こるまで何もしない、ということだ。地震や火事と同じで、万が一の事態が起こるまで「何も起こらない」「自分だけは大丈夫」と思う。心理学でいうところの「楽観バイアス」である。

米軍の侵攻２日前。バグダッド市内で徹底抗戦を叫ぶ市民。

だが、必ず大震災は起こる。同様に、紛争も必ず起こる。ブッシュ大統領が攻撃の最後通牒を出していたにもかかわらず、なお空爆に懐疑的だった人々。そして朝方に大音量でサイレンが鳴るなり、頭の上に落ちてきた巡航ミサイル。凄まじい一変ぶりを現場で経験し、人間の心理はかくも現実を見ないものか、と痛感した。当面、ゲリラ戦で迎え撃つのかと思ったら、わずか数週間でフセイン政権は瓦解してしまった。これも同じく予想外だった。

✝他人の国に土足で入り込んではいけない

2003年5月、アメリカ軍はバグダッドに進撃を行なってフセイン政権は崩壊し、アメリカ国防総省人道復興支援室および連合国暫定当局（CPA）が統治を行うこととなった。

当時のブッシュ政権・ネオコンと呼ばれた人たちの勘違いは、アメリカ軍がバグダ

米軍の空爆を受け、バグダッド市内を警戒する民兵。

ッドへ侵攻すれば、自分たちは歓迎を受け、サダム・フセインからの解放を求める民衆とともにフセイン政権を打倒できると信じていたことだ。

たしかにスンニ派であるフセイン政権から弾圧を受け、安閑とした日々を過ごせなかったイラク内のシーア派にとっては、憎きサダムが消えてくれたことは歓迎すべきだった。だが全体的に見れば、基本的にイスラム教の敵であるキリスト教のアメリカを、諸手を挙げて受け入れることはありえない。

アメリカ軍の驕《おご》りは当時、バグダッドの至るところで目にすることができた。昼にレストランで食事をしていると、いきなり「てめえ、この野郎」という怒声が耳に入った。

急いで店外に出てみると、イラクの若者4人がハンヴィー（アメリカ軍用の汎用4輪駆動車）の前で5、6人のアメリカ兵に組み敷かれ、銃口がうつ伏せにさせられた若者たちの頭に向けられていた。あんな屈辱的な光景を目の前で見せられたら、イラク人のなかでアメリカ軍への反発が嵩《こう》じるのは当然だった。

アメリカ軍が敗北したイラクに対し、なお過剰な屈服を強いた理由の一つは、「恐れ」ではないだろうか。歓迎してくれると思っていたイラク人が案に相違して冷淡だったことから、周囲がすべて「敵」に見えてしまい、恐怖を抱くようになる。疑心暗鬼が過剰な防衛意識につながり、さらに傲慢な暴力を生むという悪循環が、当時のバグダッドに起きていたように思う。

だが、いくら戦いに敗れた国とはいえ、現地の民衆感情に配慮せず、他人の国に土足で入り込むような振る舞いを続ければ、占領統治が成功するはずがない。アメリカは戦略のみならず、人心の理解も失敗したといわざるをえない。

†対日占領政策との混同

もしかしたらアメリカは、ドイツと日本の第二次世界大戦後の占領を成功体験に、中東の占領政策も成功すると考えていたのかもしれない。とくに日本に関しては、民主主義の移植がスムーズに運んだことから、イラクにも同様の政策が適用できると混同した可能性がある。

しかし、日本とイスラムとのあいだには明確な違いがある。いうまでもなく宗教だ。イラクを例に取れば、国内でスンニ派とシーア派が敵対し、弾圧を互いに繰り返してきた歴史がある。そこにキリスト教のアメリカが入って両者を調停し、民主主義を植え付けるというのは、非現実的すぎる。ともに一神教であるイスラム教とキリスト教の十字軍以降の対立の歴史を考えれば、最初から失敗するのは目に見えていた。

日本の場合、明治の日清・日露戦争から大正の第一次世界大戦に至るまで戦争を繰り返し、国内が疲弊しきっていた。内需が低迷して経済が落ち込み、寒村では子供の身売りを余儀なくされたという。

昭和に入ると二・二六事件のようなクーデター事件が発生し、揺れ動く世相のなかで第二次世界大戦に突入した。国内の衰退はピークに達し、敗戦後は辟易したムードが世の中に満ちていた。

敗戦後の脱力・弛緩《しかん》した空気のなかでGHQが国内に入り、言論統制や公職追放などいわゆる民主化政策を急速に進めた。長きに及ぶ戦いで疲れきった日本人は、あまり深く考えずにそれらの占領政策を受け入れてしまったのではないだろうか。もし熟考していたのなら、一夜にして軍国教育から真逆な民主化教育に180度、転じることを躊躇したはずだ。

わが家の一族の集合写真を見ると、出征した祖父と軍国少年だった父が大きな日の丸を背景にして映っている。当時の理想は兵隊になることだった。しかしいざ日本が敗れると、それまで世間を覆ってきた軍国教育の息苦しさが表面化し、自由の価値がすんなり受け入れられるようになったのではないか。ムジャヒディン政権とタリバン政権の両者に翻弄されるアフガニスタンを見るにつけ、かつての日本との相似を感じずにはいられない。

第3章

中東は100年前の日本と同じ

†「どうやって日本の滞在許可を取ったんですか？」

私はアフガニスタンにいて、日本人だと思われることはまずない。拙《つたな》いダリ語（アフガニスタンの公用語の一つ）を話すせいか、せいぜい外国帰りの人間と思われる程度で、トルコ人やタジキスタン人と間違えられたこともある。

以前、現地に駐留するアメリカ軍と同行した際は、アフガニスタン人の米語通訳が現地の言葉で次のように尋ねてきた。

「先ほどから日本の話に詳しい。どうやって日本の滞在許可を取ったんですか？」

多くのアフガン人にとって、外国での居住許可は何としてでも手に入れたいもの。戦乱の国から脱出できる天国への切符なのだ。

「いやいや、日本人だよ」

アフガン人と間違えた彼は「エッ」といったまま、ばつの悪そうな顔をしていた。

また、タリバンと敵対して2001年に暗殺されたアフマド・シャー・マスード司令官の基地へ向かうときのことだ。途中でいくつもある検問を通る際に「私は日本人のジャーナリストだ」といったら、相手が車内を見渡して「どこにいる?」と真顔で聞いてきた。

イスラム世界に入るにあたって、言語よりも大きいのは、心構えのほうだと思う。世界のどこでも、訪れる国や地域のことをよく知りたい、空気に慣れよう、と思って自分から壁をつくらなければ、日本人であっても溶け込むことは可能だ。

† メラビアンの法則

大事なのは、質問できる力。恥じず臆せず、ざっくばらんに何でも聞く。言語は単語の羅列やジェスチャーでまったく構わない。とはいえ、基本的な文法がわかっていなければ通じないのはいうまでもない。

大学に呼ばれてジャーナリズムの講義をする機会があるが、有名大学ほど質問が飛んでこない。プライドが邪魔をしているのかシャイなのか質問をあまりせず、反応に乏しい。こちらとしては舞台に立っているような感覚で、観客の反応を見ている。寝ている奴もいれば目を見開いている奴もいる。

取材もまったく同じである。相手の目や体全体を注意深く見て、言葉だけでなく視覚から相手の情報を引き出す。

何しろ「メラビアンの法則」によれば、人間同士のコミュニケーションは視覚情報が55％と圧倒的に高い。次に聴覚情報が38％。言語による情報はわずか7％にすぎないのだ。

新型コロナウイルスの蔓延《まんえん》時、感染が取材や学生との対面を犠牲にしてまで避けるべきリスクなのか、どうしても腑に落ちなかった。リモートはどうしても駄目である。画面越しの情報量があまりにも不足しているからだ。話す表情や目つき、しぐさも含めてコミュニケーションである。

†検問は強気で行く

アフガニスタンの全州はほとんど回っており、訪れていない土地のほうが少ない。鉄道がほとんどないので移動はもっぱら車だが、何しろ、どこで検問があるかわからない。移動していてこれほどワイルドな、緊張感のある国も珍しい。

なかには検問の風情すらなく、道端に鉄砲を持っている男が2、3人立っていることもあった。通ろうとすると案の定、「止まれ」とくる。

「お前、どこの誰だ?」

ここで怯《ひる》んではいけない。引いたら負けである。

「あんたら、許可を受けてやっているのか」

「金を払え。さもなければ帰れ」

と延々やり合い、通った。

検問は強気で行かないと、駄目である。ただし、時と場合によることはいうまでもない。現場での経験と感性、洞察力が危機管理に欠かせない。

†江戸時代の刑罰とどこが違う?

先日、イスラム法に基づき「窃盗犯の右手首を切り落とした」というニュースが話題になった。イスラム教では右手で食事を取る。他方、左手はトイレで用を足す際に使う「不浄の手」である。つまり右手がなければ一生、不浄の手で食事をしなければならない、ということだ。

「たかが盗み程度で、何という残酷なことをするのか」と欧米のメディアでは野蛮視され、非難の対象になった。

しかし、それはあくまでも現代の眼から見た話である。

私はよく昔の日本人と、現在のタリバンを比較してみることがある。

■図表5■ 江戸の死刑一覧(切腹を除く)

【刑の名前】	【執行内容】	【適用される罪】
下手人	斬首。遺体は引取人がいれば引き渡す。	過失など情状酌量の余地のある殺人
死罪	斬首したのち、試し斬りを行う。	10両以上の盗み、不義密通
火罪	馬による市中引き廻し+磔柱に縛り付けて火あぶり。	放火
獄門	市中を引き廻して斬首。罪名を記した札を下げて3日間、首を台上に晒す。	強盗殺人や主人の親族殺し、偽の秤や枡づくりなど
磔刑《たっけい》	市中引き廻しの上、磔柱に縛り付けて数十回、体を突き刺す。処刑後の遺体は3日間、晒される。	贋金づくり、関所破り。親殺し。主人殺し。異教信仰
鋸《のこぎり》挽《び》き	市中引き廻しの上、首だけを2日間土中に出して埋める。晒し者にしたあとは磔刑と同様に処刑する。	主人殺しなど

たとえば、江戸時代の刑罰の原則は「一罰百戒《いちばつひゃっかい》」。罪を犯したものにはできるだけ重い罰を下し、人々の晒し者にするというものである。もちろん、基本は斬首。現代のＩＳやアルカイダとまったく同じ発想だ。

アメリカ人にも思い出してもらいたいことがある。２０１１年のアメリカ同時多発テロ以降、キューバにあるアメリカ軍のグアンタナモ湾収容所でＣＩＡ（米中央情報局）が拷問を繰り返していた。１週間以上にわたる睡眠の剝奪、殴打、身体の束縛、そして水責めだ。水責めは、人間の恐怖心を最も煽る古典的な刑罰である。

こうして歴史を振り返ってみると、同じ地球上、わずかに時代が異なるだけで、江戸幕府もタリバンもアメリカ軍も似た者同士であることがわかる。中世ヨーロッパの異端審問（カトリックの正統的信仰から外れたものを断罪する裁判）と拷問、魔女狩りにおける火炙《ひあぶ》り、鉄の処女のような拷問具を見ても同様の感想を抱く。

†「男女七歳にして席を同じゅうせず」

同じことは、女性蔑視についてもいえる。たとえば大学の男女共学を禁じたタリバンの男尊女卑は、「男女七歳にして席を同じゅうせず」を教育方針に掲げた明治期や昭和初期の日本と同じである。

子供は七歳を超えるとみだらな考えを抱くようになり、勉強に集中できなくなる。だから男女を一緒にしてはいけない、というものである（余談ながら昔、ゲリラが潜伏する村で取材中に、現地の小僧が私に向かって大声で「ちんちん見せて！」といってきた。外国人の私が割礼《かつれい》しているのか興味を抱いた言葉だったのだろう、と思ってはみたものの、人間しょせんこの程度と悟った瞬間だった）。

「男女七歳にして〜」は四書五経の『礼記』（「七年男女、不同席、不共食」）に拠《よ》る。要するに中国も同じなのだ。男女の別は洋の東西を問わず、人間の本質に根差した考え方といってよい。

英国の伝統であるパブリック・スクール（13歳から18歳までのエリートの子弟が通う上位校）も、ひと昔前までは寄宿制の男子校がほとんどだった。もちろん日本にも伝統ある男子校、女子校がいくつもある。

†日本からタリバンに女子大創設の申し出を

もし日本からアフガニスタンの女性教育に援助ができるとしたら、タリバン政権に「アフガニスタンに女子大をつくるので資金を提供したい」と申し出ればよい。男女を分けて就学機会を提供するアイデアとしては、学内にカーテンの仕切りを引くよりよほど現実的である。申し出を受けるか受けないかで、女子教育におけるタリバンの本音が見えるかもしれない。

100年前の日本人が現在のタリバンの社会を見たら、べつに驚かないだろう。た

タリバン政権から解放された女性。それでも、公の場ではスカーフを被る。

またま日本は第二次世界大戦に敗れ、占領軍による民主主義と男女平等が広まった結果、タリバンとは異なる社会に移行しただけかもしれない。アメリカやヨーロッパ諸国から見たところで同じである。19世紀か20世紀の欧米社会の男尊女卑、人種差別はイスラムと比べて五十歩百歩だろう。少数民族の弾圧など、日本の武士道教育の伝統からすれば「弱い者いじめは卑怯者のすること」と一喝して終わりである。

もちろん、戦時中のような憲兵がうろつく言論統制の日本に戻ってはならないし、タリバンの支配下でジャーナリストに「自分たちの声を世界に届けてほしい」と自ら顔を晒《さら》して取材に応じる女性たちの存在を忘れてはならない。20年間、女性の解放と就労を享受してきた人たちにとっては厳しい時代だと思う。

半面、いたずらにアフガニスタンの古い面をクローズアップして「日本とは無縁の遅れた人々」と断じるのも、やはり現実を知らない誤りである。一般市民と話をしていて、アフガニスタン人の思考や精神構造が他国とまったく異なる、と感じたことはない。

†パシュトゥンワリの仁義

タリバンは、前述の「パシュトゥンワリ」という2000年来の掟のなかで生きている。パシュトゥンワリの一つが、ナナワティと呼ばれる掟である。

危険から追われている者が自分の家に入り込んできたら、誰であっても絶対に保護しなければならない。また、争い事で片方が仲介を希望した場合、弱者の側に立つというもの。日本でいえば盃《さかずき》を交わして契《ちぎ》りを結んだヤクザが兄弟を助ける仁義や、判官贔屓《ほうがんびいき》の発想に近い。

パシュトゥンワリにおけるもう一つの特徴は、「バダル」（復讐）。パシュトゥンの誰かを攻撃した相手がいたら、自分もしくは家族、あるいは部族の全員が報復を行う。まさに日本でいう「仇討ち」である。

「ナムス」（精神的な貞節）というのもある。その一方、しばしば話題になるのがイスラム教の一夫多妻制である。現在の日本の道徳観からすれば「不倫はよくない」だから、男尊女卑の習慣と見なされる。

しかし一昔前の日本であれば、妾《めかけ》の存在は半ば公認であった。1870（明治3）年、明治政府が発布した最初の刑法典「新律綱領《しんりつこうりょう》」の巻五を見ると、「親族相姦《しんぞくそうかん》」の項に「妻ヲ姦スル者ハ各流一等」「妾ヲ姦スル者ハ各一等ヲ減ス」と、妻と妾を同等に規定していることがわかる。

また経済的に見れば、貧しいアフガニスタンで複数の女性を養うのは必ずしも非合理ではない。さらに死が非日常ではなく、戦乱のなかで男の数が次々と減っていくというイスラムの歴史的事情もある。戦死した兄の寡婦《かふ》を弟が引き取るというケースは決して稀《まれ》ではない。日本でも戦時中あったことで、男尊女卑の面だけから一夫多妻制を見ると、「女性を助ける」という側面が見逃されてしまう。

加えてイスラムにおいても他国と同様、女性同士の世界が厳然として存在する。男性の階級や役職に応じた女性ごとの社交集団があり、男女が写し鏡のように多層なかたちを形成している。そして家の中に入れば、妻の声は文字通り大きい。亭主の困り果てた顔を見たのも一度ならずある。私はイスラムの世界に触れるようになってから、人間として見たところほとんど変わりがない、という結論に至るようになった。

†ムラ社会と女性差別

よく「日本は忖度《そんたく》が激しい」といわれる。われわれ日本人は誤解しているが、同調圧力は世界の至るところに存在する。アフガニスタンも都市部を離れて砂漠地域や田舎の山岳部へ行けば、文字通りのムラ社会が広がっている。現代の日本とは比較にならない、ガチガチの「掟」の世界である。

以前にパシュトゥン人同士が喧嘩になった話で、こんなやりとりを聞いた。

「あいつの頭を石でぶん殴ったら、頭が割れちゃって」

「死んだのか?」

「いや、死んじゃいない。だが、けじめをつけないといけなかった。放っておけば部族同士の抗争になるからな」

「で、どうした」

「相手の部族に女の子を一人、差し出した」

†「そこに寝ていいよ」

またアフガニスタン戦争時、ペシャワールの通りや路地を歩くとよくハシシなどのドラッグ類を求めるヒッピー風の若者が大勢たむろしていた。売春、男色も多い。現代風の細身で中性的な感じの日本人が、髭《ひげ》を生やさずふらふら歩いていたら、まず確実にターゲットになると思われる。

以前にアフガンのゲリラと寝泊りしながら取材をしている際、部屋のなかに政府軍の基地から拝借したようなベッドが置いてあった。

アフガニスタンと国境を接するパキスタンの街、ペシャワール。

「そこに寝ていいよ」といわれ、疲れ果てていたので喜んで横になると、

「俺も一緒に」

慌てて跳《は》ね起きたことがある。

これも驚くにはあたらない。戦国時代を見れば織田信長と森蘭丸、武田信玄と弥七郎、文化人でも松尾芭蕉と杜国など、事例には事欠かない。

✝世界で最もよいのは自由にものがいえること

このように昔の日本史と比べてみれば、イスラム教の世界で驚くようなことはべつにない。あえて縷々《るる》、共通点を挙げるのは、日本式のタブーや遠慮、猫をかぶったような上品さを捨てないと、物事がシンプルに正しく見えてこないからだ。

ただし、イスラム教の教義で一つ、どうしても受け入れ難いものがある。「改宗できないこと」だ。

改宗者に対して「改宗もしくは死」の二者択一を迫るようなことをしてはいけないと思う。イスラム教を棄てようと思うのは、信仰にどうしても納得できない点があるからだ。信者の疑義に答えられないような人々が、問答無用で棄教者の口を封じようとする考えは、やはりおかしい。

アフガニスタンの人々がイスラム教を信仰する最大の理由は、いうまでもなく生まれ落ちた家がイスラム教だったからだ。個人が自由意志によってイスラム教徒を選択したわけではない。

われわれが生きるこの世界で最もよいのは、自由にものがいえることである。共産主義国や社会主義国を取材してきて、つくづく感じた「真理」だ。太平洋戦争時の言論統制を考えれば、いまの日本は多少不満があっても、よい国である。何しろ「岸田、やめちまえ」と口にしても捕まらないのだから。

日本では自由の限界点が、中国やロシアとは比較にならないほど高い。もちろん、欧米式の民主主義が一概に正しいとは思わない。しかし、社会主義や共産主義の国民が感じている息苦しさは想像外で、この瞬間も多くの人々を圧している。

中国共産党がいくらウイグル人やチベット人を弾圧して民族浄化を図り、経済的・軍事的に膨張を重ねようとも、世界と軋轢を起こして国際社会から村八分になれば、打つ手がなくなるはずだ。それはタリバンも同じだろう。

自由の価値というのは、われわれが考える以上に重い。

†アフガンのチャリティ意識

アフガニスタンの街を歩いていると、炊《た》き出しの光景に出合うことがある。たしかに貧しい者は多い半面、富める者が施しをするチャリティの意識も根付いているように思う。宗教的背景もあり、多くは弱者に対して優しい人たちである。

現地のドライバーは、道端にいる知的障害者を目にして「おい、あいつちょっと頭に花が咲いてるぞ」とか「あいつは何の危険もないよ」とか軽口を叩いている。

思い出すのは若いころ、アフガニスタンとの国境に近いパキスタンのペシャワールに逗留《とうりゅう》したときのことだ。夜中に腹が減って安ホテルから外に出ると、すでにバザールは閉まっており、路上でカバブを売っている。一本、買って食べていると、知的障害を持つ若者がふらっと通りかかり、焼いた肉を見るなりすかさず持ち去ってしまった。

しかし、店主は盗んだカバブを食べる若者を見ているだけで、何もしない。何という度量の広い人か、と感じた。たしかに、精神に遅滞のある人が食べ物を一つ拝借した程度で、目くじらを立てるほうが異常である。

ところが、日本で後年ショックを受けたのは、大阪の回転寿司屋で起きた事件である。2002年、知的障害のある男性が他のテーブルにある寿司をつまみ食いしていた。店員は彼の行為を見るなり事務所に連れていき、6人がかりで床にうつぶせにして取り押さえた。挙げ句、彼は死んでしまった。

はたして、イスラムの国と日本のどちらが文明国といえるだろうか。

†洗脳と神風特攻隊

メディアではしばしば、タリバンの過激な思想がクローズアップされる。だが、実際に彼らを取材してみると、大半は生きるため、飯を食うための生業《なりわい》として選んだことがわかる。

以前、自爆テロの実行未遂で捕まった少年たちが収容されたアフガニスタンの施設（もとは少年刑務所）を訪れたことがある。

話を聞くと、自爆テロを思想で自ら進んで行う人間はまずいない。脅しや人間関係上、引き受けざるをえない場合や、なかには「ドラッグを打たれて洗脳された」という孤児もいた。

タリバンは彼のような少年を見つけると、再教育プログラムという名の洗脳を施す。じつは、アフガニスタンは戦争孤児が少ない。大家族制で、親のない子は親類縁

カブール市内を巡回するタリバン少年兵。

者が引き取ることが多いからだ。ごく稀にいる、不幸な子供を利用するのである。

日本でも太平洋戦争末期に、出撃する神風特攻隊員に覚醒剤《かくせいざい》のヒロポン（メタンフェタミン）を渡していたと聞く。少年が兵士に憧れるという現象は日本でもあった。

アフガニスタンだから特異なのではなく、戦争とはそういうものなのだ。

†モスクでは『コーラン』を朗誦しない

「進んで自爆テロに身を投じるわけではない」という点に関して、日本人が忘れていることがある。識字率だ。

アフガニスタンにおける15歳以上の識字率は、30％台にすぎない。文字が伝わらない大多数の人に対し、高邁なイスラム原理主義思想の伝播や、自爆テロの指示をどうやって下せるというのだろうか。

答えは二つしかない。

①暴力的な強制。
②全然伝わっていない（騙《だま》す）。

日本人が同じく、誤解していることがある。

「イスラム教のモスク内では『コーラン』を読経している」という思い込みだ。モスクから聞こえてくる肉声は、「神は偉大なり（アッラーフ・アクバル）の繰り返しから始まる礼拝の呼び掛け「アザーン」である。聖典を朗誦しているわけではない。日本の葬式は仏式がほとんどだと思うのだが、僧侶が唱えるお経をどれほどの人が理解しているのか。

†死に値する大義はあるか

テロによって殉じたイスラム教徒と、戦時中の日本の報国精神は完全に異なるものといえるだろうか。ただし、異なるのは死生観だろう。イスラム教の聖典『コーラン(クルアーン)』には、次のように記されている。

「先頭に立つ者は(中略)至福の楽園の中に[住む]。永遠の少年たちが彼らの間を巡り、高坏や水差し、汲立の飲物盃[を捧げる]。かれらは、それで後の障を残さず、泥酔することもない。また果実は、彼らの選ぶに任せ、種々の鳥の肉は、彼らの好みのまま。大きい輝くまなざしの、美しい乙女は、丁度秘蔵の真珠のよう。彼らの行いに対する報奨である」

(『コーラン』「出来事」10〜24節)

彼らは死んだら天国で美女に囲まれ、酔わない酒（いかにもイスラム教らしい）を飲めるという。この世界に辿りつけるなら死んでもよい、と思う若者がどれほどいるか、正直わからない。

少なくとも日本についていえば、共同体の最小単位である家族を除けば「自分はこのためにならいつでも死ねる」と断言できる人はまずいないだろう。特攻隊の若者に対して「お国のために」といって死を求めたような大義は、もはやこの国にはない。安全保障関連法案をめぐる国会答弁で、野党が「日本を戦争できる国にするのか」と連呼していたのは笑止千万だった。いまの日本の若者の魂をもって、人殺しなどできるわけがない。

じつは同じことが、アフガニスタンの若者にもいえるのではないか。

†「死んでも当然ですよね」

自分の国の悪口をいうのはあまり好きではない。だが2004年10月、イラクで聖戦アルカイダ組織を名乗るグループが、バックパッカーの香田証生《こうだしょうせい》さん（当時24歳）を誘拐した事件をめぐる政府の対応は最低だった。

囚われた香田さんはビデオ映像で「小泉さん、彼らは日本政府に自衛隊の撤退を求めています」と語り掛け、当時の小泉純一郎首相はこれを拒否した。

当時、イラク・バグダッドのパレスチナホテルに泊まっていたところ、アメリカのAPTNからいきなり連絡が入り、「人質の遺体の映像が届いた」という。首実検を求められ、固唾《かたず》を呑んで目を見開いた。間違いない。

日本で最初の一報を伝えた。東京とのやりとりのなかで「本当ですか？」と尋ねられ、「本当も何も……」と依然、映像を見たショックを隠し切れなかった。

日本に戻って、今回の取材についてディレクターと話していたら、

「和孝さん、彼はしょうがないですよね」

当然のことのようにいう彼に、

「それって死んでもいいということ？」

語気の強さに、その場が固まったことがあった。

無謀な若者を責めるのであれば、思い切り叱ればよい。だが、死んで当然という考え方は絶対に間違いだ。

政府のプロパガンダに気づく余裕が、彼にはなかったのかもしれない。と同時に、自己責任という訳のわからない空気に毒された一人だったのかもしれない。

メディアのなかで当時、噴出したのが「自己責任論」である。「日本には海外渡航の自由があり、危険地域への出国を止められない。その代わりに、現地でどんな目に遭っても自業自得である」と。この態度は、日本政府もまったく同じだった。

†国民を守らない国

香田さん殺害に先立つ2004年4月、同じくイラクで人道支援活動中の高遠菜穂《たかとおなほ》子《こ》さん、郡山総一郎さん、今井紀明さんの3邦人が人質となった。交渉の末、解放された3人に対して同月16日、当時の福田康夫・官房長官は記者会見で苦言を呈した。「退避勧告は法的な強制力はない。（危険地域に）行く方は身の安全に万全を図る。それができなければ渡航しないということがあってしかるべきだ」

そして当時の小池百合子・環境大臣が「無謀ではないか。一般的に危ないと言われている所にあえて行くのは自分自身の責任の部分が多い」と、「自己責任論」の口火を切った。

中川昭一・経済産業大臣も「どうぞご自由に行ってください。しかし万が一の時には自分で責任を負ってくださいということだ。大騒ぎされたことを本人はどう受け止めているのか。むしろ彼らに教訓を聞きたい」。

さらに井上喜一・特命担当大臣（防災担当）は、「全部が全部、国（の負担）だとはならない。飛行機代、タクシー代はどうするんだと。本来、個人が負担してよいようなものは本人負担だ」と語った。

この国の政府は、国民を守ることを自分たちの当然の仕事と考えていない。彼らは国民の自己責任は追及しても、政府の国家責任はまるで頭にない。いったい誰が、こんな国の政府のために命を懸けたい、と思うだろうか。

世界は武力で成立している

戦争は絶対やってはいけない。この思いは戦争取材を続けてきた者として、寸分の揺らぎのない信念だ。

だが、そのために何を知り、何をやるべきなのか。

結局のところいえるのは、誰も現実を見ていないということだ。「有事に対応できる国へ」「美しい国へ」と口でいいながら、戦争がどういうものかを知らず、夢物語のなかで政治や言論を行なっている。安全保障を訳知り顔で語る人たちに一度、こう尋ねてみたいものだ。

「あなた、銃弾が自分の耳をかすめる音を聞いたことがありますか?」

先ほど日本の若者に命を捨てるだけの大義はない、と書いた。だが、もちろん否が応でも戦わざるをえない場合がある。すなわち日本が侵攻されたときだ。「武力は必要だ」というと、反対する人が多い。

だが、現実の世界は武力で成立している。北朝鮮は国が貧しくても核を持つことで生き残っていけると確信している。アメリカは北朝鮮のような小国の核保有はコントロールが効かないので許されない、という。では、なぜパキスタンやイスラエルが保有をしているのか。この欺瞞《ぎまん》を核保有国は偽善的な言葉でごまかそうとしている。

原爆死没者慰霊碑に「安らかに眠って下さい　過ちは繰返しませぬから」と刻んで

いても、実際に敵が再び攻めてきた際、日本が抑止力を講じていなかったら、再び占領されるだけである。「過ち」とは、原子爆弾を落としたほうなのか、それとも落とされたほうなのか。戦後の日本では核廃絶の議論は盛んに行われたが、核武装に関する公の議論が行われてきたとは思わない。正面から核武装という選択肢を国民に問いかける政治家がいないのが、不思議でならない。広島・長崎の惨状を見れば、核爆弾がいかに非人道的であるかは一目瞭然であることには変わらない。ならば、核保有国が完全なる核廃絶に舵を切るのか。

2016年5月27日、アメリカ歴代大統領の中で初めて広島を訪れたオバマ大統領が原爆ドームを背に演説を行った。核や人類に関する理想を説いた最後の言葉は、「広島と長崎が核戦争の夜明けではなく、私たち自身の道義的な目覚めの始まりとして知られる未来のためだ」。

だがオバマ大統領に随行する軍人の手には、「大統領非常用手提鞄《てさげかばん》」すなわち核の発射ボタンが提《さ》げられていたことを忘れてはならない。

私が最初にアフガニスタンを訪れた1980年代、日本人は尊敬されていた。第二次世界大戦で圧倒的な物量のアメリカを相手に戦い、敗れてもなお復興して高度経済成長を成し遂げた。技術力への信頼も厚い。では、いまの若い人が世界から尊敬されるための国をどうやってつくっていくのか。

やはり、日本人は世界の現実を知らなければならない。

†ジャーナリストを妨害する日本国

タリバンの取材では、あろうことか、自国に妨害されることもある。

第一次タリバン政権時、パキスタンのイスラマバードで取材をするため、アフガニスタンの大使館へビザをもらいに行った。すると驚いたことに、

「ビザは出す。ついては日本の大使館からレター（招聘《しょうへい》状）をもらってくれ」

「どういうこと？」

肝心の日本国が、ジャーナリストの取材を止めていたのだ。海外の現状を伝えることは、日本人にとって有益なことである。にもかかわらず、自分たちのお墨付きがないと他国の取材をさせない。何という愚かな姿勢かと思う。

ようやくビザが出て、現地の外務省の報道室へ取材証をもらいに行くと、またしても係官がいった。

「日本大使館へ行って、レターをもらってきてください」

またか。思わず頭に来て、

「アメリカ人の取材者に対しても、同じことをしているんですか」

「いいえ」

✝国内という「牢獄」

ジャーナリストに対するこのような嫌がらせは一度や二度ではなく、毎度のことである。シリアで3年4カ月にわたり拘束されていたジャーナリストの安田純平さんは2018年に帰国後、誘拐犯に奪われたパスポートの再発給を求めた。ところが、日本外務省は「安田さんがトルコから入国禁止の措置を受けたため、旅券法でパスポート発給の制限の対象となる」という理由で、再発給を拒否した（2020年、東京地裁に提訴）。

安田さんは通常の人間なら耐えきれない強制収容所の環境下に耐え、ハンガーストライキまで決行して解放と帰国を訴えた。その意志を貫いた安田さんに対して、今度はパスポート無発給という仕打ちはあんまりだと思う。海外取材をするジャーナリストにとっては国内という「牢獄」に閉じ込めるに等しい対応を続けている。

彼のような覚悟と勇気あるジャーナリストが現場に行かなければ、誰がシリアの現状を伝えるというのか。彼らがもたらす情報が日本の国益に資するかといえば、間違いなくイエスである。外務省の情報に基づく大本営発表だけで民間記者の報道を封じてしまったら、日本は戦時中と同じ誤りを犯すだろう。

†「ゆでガエル」になってはならない

私が驚いたのは、大学の講義で先述の自己責任論の問題を取り上げた際、次のような意見があったことだ。

「危険地域に向かう人たちを政府が止めるのも、国民の生命を守ることになるんじゃないですか?」

一見、正論に聞こえるかもしれない。だがその理屈が通ったとしたら、エベレストへの登山も深海のダイビングも危ないので政府が禁止したほうがよい、という話になってしまう。事は権力と自由にまつわる問題なのである。

権力が民衆を監視するのに対し、ジャーナリズムは権力を監視する。後者の自由が担保されるのが自由主義の国である。若い人にはどれほど遊んでも、平和呆《ぼ》けしてもらっても結構。ただし「言論の自由」と「世界に目を見開くこと」の両者だけは、決して忘れてもらいたくない。右の二つがあってはじめて、人間は自分の意志で道を決め、物事を判断することができるのではないか。

SNSなどにさまざまな情報が溢れている。情報の海に溺れることなく、泳がなくてはならない。

決して「ゆでガエル」になってはならない。

半径5メートル内の幸福追求もよいが、どこかで「人生は一回切り」ということを頭に入れて冒険心、好奇心そして疑問を持って人生に立ち向かい、道を切り拓いていって頂きたい。

とくに若者には上司への配慮や数字のノルマ、住宅ローンや子供の養育費、親の介護など世間の垢《あか》に長年まみれてきた世代とは違う物の見方を手に入れ、世界で存分に暴れ回ってよりよい世界を築いてほしい。

第4章

ジャーナリストは抑止力である

†なぜ戦場に向かうのか

よく「なぜそれほど危険なアフガニスタンに行きたいのですか」と尋ねられる。もちろん現場に行けば、多くの死を目にすることになる。決して快《こころよ》いものではないし、自分もいつ戦闘に巻き込まれて命を落とすかわからない。だが、私の答えは最初から決まっている。

「仕事ですから」

職務上、命や健康がリスクに晒されるのはべつにジャーナリストに限らない。消防士であれ、警官であれスポーツ選手であれ、職務に伴う危険は必ず存在する。怪我や疾病の恐れは踏まえたうえで各人が訓練を積み、準備を重ねて最大限、リスクを減らそうとしているだけである。

私も当然、相応の鍛練と準備は怠っていない。カメラはいうまでもなく、とくに気を使うのは靴だ。取材時はいつでも現場へ向かい、迅速に逃げられるように最良のブーツタイプを選んでいる。スニーカーでもよいが、踝《くるぶし》が隠れない。鉄の塊である軍用車両内で揺られていると、踝が方々にぶつかって痛いのだ。驚いたのは以前、ボスニアでの取材時にサンダル履《ば》きで現れた日本人と思《おぼ》しき者がいた。心構えからして失格なのだ。

†すべては確認

現場では、本当に何が起こるか分からない。アフガニスタンの撮影ではカメラに砂が入って突如、使えなくなったことが何度かある。

山本美香が亡くなったあと、私と一緒に現場へ行く同僚がいる。ヨルダンへ難民キャンプの取材に向かい、何とか取材許可を得て撮影のハードルを越え、無事に終えることができた。

「よかったな。じゃあ、飯食って寝よう」

ところが、ホテルの部屋のドアをトントンと叩く音がする。「どうしたの」といって開けると、

「あの……。映ってません」

いったい何が起きたのか。結論をいえば通称「逆タリー」と呼ばれるミスで、録画ボタンを押したつもりで押していなかった。撮影者がいちばん気を付けなければいけない、基本的なミスだった。

「よし、わかった。次の日に」といったものの、やはりショックだった。同じ取材は二度とできないのだから。

いくら最高の装備で万全を期しても、撮ったつもりで撮っていなかったら何の意味もない。最悪の事態を防ぐには、確認しかない。すべては確認。ミスしたあとの「やった、やらない」「いった、いわない」の泥仕合は最悪である。

山本美香と必ず守っていた取り決めは、ものを渡すときには必ず「渡した」「もら

った」という。あるいは「テープを入れた」「入れた」と必ず口に出して確認する。

大切なのは、何よりも言葉に出すことだ。互いに言葉に出して意思や行動を確認しないと、現場で怪我をする。勝手にトイレに行くなど、ふらっと消えてはいけない。チームを組んでいるとき、何よりも大事なのは互いの意思疎通である。

鉄道の車掌が行う発車時の指差し確認や、出版社の編集者が行う赤字の読み合わせとまったく同じ。アナログこそ最高のリスク管理なのだ。

†必ず「どうだった」と聞く

一匹狼の記者の仕事と、チームで行うテレビの報道はまったく別物である。

たとえば、現地で取材相手や情報提供者に話を聞いたとき。向こうの話がすべて終わったのち、隣で聞いていたもう一人の同行者に対し、必ず発しなければならない言葉がある。

「いまの話、どうだった」

同じ人物の話を目の前で聞いても、人によって印象や受け取り方は千差万別だ。自分の思い込みで誤解している点、相手の顔色や雰囲気で見落とした点を、もう一人が察知したかもしれない。情報を感知する装置は複数であることが望ましい。すべてを自分の独断で把握するのはリスクが高い。政治家の「懐刀《ふところがたな》」と呼ばれるような、信頼できるパートナーがいるのが理想だろう。まさに山本美香は私の第三の眼と耳だった。

私がこのようにリスク管理を考えるようになったのは、現場で失敗を重ねたからである。すべて、何度も痛い目に遭って学んだことだ。若い人にはぜひ失敗を覚え、生かしてもらいたい、と思う。

†「まあ、今日生まれたと思え」

さらに、タリバンの勢力が台頭をはじめたころ、パキスタン南部からバーミヤンの立つ中央高地に入り、ヒンドゥークシ山脈を越えて1カ月以上に亘《わた》った取材を終えカブールに辿り着いた。

すべての取材を終え陸路パキスタンに向かう途中、検問を装った4、5名の武装した男たちに車を止められ、AK47自動小銃の銃口を向けられた時は血の気が引いた。彼らに車ごと全てを奪われてしまった。もちろん取材テープもだ。数分間の出来事だった。呆然として言葉も出なかった。

重い靴を履いて道端に立ち尽くし、通りかかったコマンダーに事情を説明する。鉄屑を載せたバスを止めてもらい、温情で乗せてもらった。くたびれたバスの中には、解体された戦車や装甲車の残骸が満載されていた。

「どうしたの」と運転手に聞かれて「どうしたもこうしたも、全部盗られちゃって」。するとどう彼はこういった。「ふーん、そうか。まあ、今日、生まれたと思え」。あの言葉はいまでもはっきりと覚えている。

日本に帰国したのち再度、アフガニスタンへ一人で撮影し直しに行ったことはいうまでもない。私に仕事を頼んだテレビ局に対して「撮れませんでした」では済まないからだ。

盗難の被害が信じ難いショックだったのは、撮影した時間が徒労に終わったことに加え、仕事として現地に行っているからだ。

私に取材を発注したテレビ局の側は、社内でさまざまな折衝を行なって決定権者を説得し、決裁を通したうえでGOサインを出している。だから、取材が失敗したときの責任はすべて私にある。と同時に企画を通してくれた局員にも責任を感じた。それに加え、取材に協力してくれたアフガン人の声を伝えられなかったのは、ジャーナリストとして忸怩《じくじ》たる思いだった。

したがって、目の前の一つの仕事を成功させて局との信頼関係を築かないと、不条理の中で生きる人の言葉を伝えることはできない。仕事に対する意識という意味では、あの事件が一つのターニングポイントだった。あのときにもう一度、撮り直しに出掛けていなかったら、現在の自分はなかっただろう。

現場で起きていることを伝えたいという気持ちに加え、長く取材の仕事をしていると、若いころにはそれほど感じなかった仕事に対する責任感が芽生えてくる。仕事ということになると、自分だけではないことの責任感がついて回る。本書を読んでいるあなたもそうだし、社会に出ている人は皆、同じだと思う。そのことを痛感した事件だった。

† 殉職したジャーナリストを祀る教会

英国の中心部、シティ・オブ・ロンドン内を東西に走るフリート・ストリート。中世から聖職者が住み、かつて新聞社や通信社が軒を連ねたこの界隈に、500年以上の歴史をもつ一軒の教会がある。セント・ブライズ教会（St Bride's Church）、通称「ジャーナリスト教会」。

いつしかセント・ブライズ教会には、戦争や紛争の取材中、落命したジャーナリストの遺影が祀《まつ》られるようになった。国籍、宗教を問わず日々、殉職者たちに祈りが捧げられる。私の長年のパートナー・山本美香もその一人だ。写真と共に「アレッポで殺された山本美香のご冥福を祈る」との言葉が残されている。

山本美香は生前、若者たちへ向けて次のように語っていた。

「平和な世界は、たゆまぬ努力を続けなければ、あっという間に失われてしまいます。これから先、平和な国づくりを実行していくのは、いま10代の皆さんです。世界は戦争ばかり、と悲観している時間はありません。この瞬間にもまた一つ、また二つ……大切な命が奪われているかもしれない——目を瞑《つぶ》って、そんなことを想像してみてください。さあ、みんなの出番です」

私は山本美香を失ってから、ジャーナリストという仕事の意味を考えさせられた。

We pray for
Mika Yamamoto
Journalist
Killed in Aleppo
20th August 2012
War reporter
shot dead by
Assad troops
in siege city
boudvand

セント・ブライズ教会に祀られる山本美香。そこには、戦場で倒れた多くのジャーナリストが祀られていた。

「命を捨ててまで、伝えなければならないことがあるのか」

「彼女の死には意味があったのか」

「報道は戦争を止められるのか」

だが、いまは確信している。外国人ジャーナリストが存在し、外国で起きていることを世界に伝えることで、われわれは最悪の事態を防ぐことができる。すなわちジャーナリストは抑止力である、と。

†「反啓蒙主義」に陥ってはならない――世界のジャーナリストたちの言葉

シリア内戦と周辺紛争地域を5年間、取材したカタルーニャ出身のフォトジャーナリストがいる。リカルド・ガルシア・ビラノバである。彼は2015年、山本美香記念国際ジャーナリスト賞を受賞し、記者会見の席でこう述べた。

「『反啓蒙主義』に陥ってはならない」

彼のいう「反啓蒙主義」とは、「人には情報を知らせないほうがよい」あるいは「知らせたくない」という権力者のイデオロギーを指す。

本書「はじめに」に記した「中東には関心がない」「アフガニスタンは遠い国」「自分の生活とは関係がない」という日本人の考え方は、じつは権力者にとって最も都合がよい。すなわち、弱者にとって最悪の事態を招くということだ。無言という行為によって権力者を助け、意のままにさせてはいけない。外国から該当国へ入り、外部へ声を伝えるジャーナリストの存在が不可欠なのだ。

シリアでは2012年、「イスラム国」の破壊と殺戮《さつりく》によって数多の平穏な生活が失われた。同年3月の時点で内戦は2年半に及び、一般市民を含めた死者は10万人。シリアの人口2080万人のうち、国外への難民は200万人、国内の難民は425万を数えた。この事実をまず、伝えなければならない。

じつは、先ほど紹介したビラノバは「イスラム国」に約半年間、拘束された経験を持つ。にもかかわらず彼は解放後、シリアでクルド人部隊に従軍し、再び「イスラム国」と対峙した。

このような経験を持たない筆者が幾万語を費やしても、説得力がないと感じる向きもあるだろう。本書の最後に、「平和な国から危険な戦地にわざわざ赴くのは無意味だ」と感じる読者のために以下、世界のジャーナリストの生の声を伝えることにしたい。

「ジャーナリストは、社会を暗闇にしないために不可欠の存在だ」

——リカルド・ガルシア・ビラノバ

「私たちの業務は、戦場に行って、そこで起こっていることを、違う国の家やオフィスでテレビを見ている人に感じさせることだと思う。だから、私はそこに行って、起こっていることを、家やオフィスにいる人たちにそれを経験させるために伝える役割を果たしている。それが、職業です」

——シナン・ギュル[注1]

第２回山本美香記念国際ジャーナリスト賞を受賞したリカルド・ガルシア・ビラノバ氏。

「私は、彼が死んだといえなかった。すごく苦しく辛い時間でした。……息が詰まり、話すことができず、泣き叫び、話し、何もなかったかのように撮影を続け、すべてが同時に行われ、私は、嘆き悲しんでいました」

——カロリーヌ・ポアロン[注2]

「彼らがしていることは、間違いだ。なぜなら、市民を虐殺しているからです。ですから、それを伝えるために私たちがいるのです。もし私たちに、それを伝えないようにするのなら、それは悪事への道を開くことになるでしょう」

——クリストフ・カンク[注3]

「マリーは、無実の子供、女性、一般市民が殺されていることを見過ごせなかったのです。……事実に光を当てることにより、圧力をかけ、当事者双方を冷静にさせ、紛争、殺戮をやめさせようとしたのだと思います。……戦争を止めることはできなくても、最悪の事態になることは、報道することで止められるのです」

――ポール・コンロイ[注4]

「世界の安全は、日本の安全につながります。人道的な見地からも目をそらしてはいけない大切なことが沢山あるはずです。それを『仕方がないこと』『直接関係がないこと』と排除してしまうのでは、ジャーナリストとしての役割を果たしているとはいえません。私たちジャーナリストが何人殺されようと、残った誰かが記録して、必ず世界に伝える。すべてのジャーナリストの口を塞《ふさ》ぐことはできない。どんな強力な力を持った存在であっても、きっと誰かが立ち向かっていくだろう」

――山本美香[注5]

脚注

【注1】アナトリア通信のトルコ人カメラマン。2012年7月中旬、世界で初めてシリアのアレ

ッポに入り、現状を伝える。取材中に狙撃され、左右の足に被弾。全治6カ月の傷を負う。シリアの政府軍は、彼らジャーナリストを標的にして懸賞金を懸けていた。「伝えるという仕事を続けますか」との問いに対し、「絶対です。もともと、リスクを含めて仕事をしています」と答えている。

【注2】『パリマッチ』誌の記者。2012年1月、事実婚の相手であるフランステレビの記者ジル・ジャキエがシリアのホムスで砲撃を受け、死亡（45歳）。腎臓・心臓付近に3カ所、鼻の付け根辺りに砲弾の破片を受け、ほぼ即死だった。

【注3】フランステレビのカメラマン。アフガニスタン、チェチェン、イラク、ソマリアを取材。ジル・ジャキエとコンビを組み、彼の死亡時には同じく砲弾の破片を受けた。「戦争をわれわれジャーナリストが止めることができるでしょうか」との問いに対し、次のように答えている。「深く確信しています。時には、時間がかかりますが。たとえば、アウンサンスーチーがミャンマーに存在しているのは偶然ではなく、半分はジャーナリストが、半分は各国からの圧力があったからです」

【注4】英『サンデー・タイムズ』カメラマン。仲間のマリー・コルビンと反政府・自由シリア軍が用意した「メディアセンター」で直撃弾を受け、マリーは死亡。彼は太腿《ふともも》内側の筋肉

を抉《えぐ》り取られ、腎臓のすぐ傍《そば》を破片が貫通した。

【注5】２０１２年８月20日、シリア・アレッポで取材中に銃撃を受け、死亡。

おわりに

私は、40年以上にわたり戦乱の地を歩いてきた。アフガニスタンを皮切りにボスニア、コソボ、イラク、シリア、チェチェンなど20カ国以上に及ぶ。

1979年12月、ソ連軍がアフガニスタンに進攻したとのニュースが飛び込んできた。

当時の私は報道写真家を志していたものの、ファッション関係の写真を撮っていた。

ジャーナリズムの世界で仕事をしたい。燻《くすぶ》り続けていた気持ちを押さえきれず、衝動のままに航空チケットを買った。友人たちは「外国に行ったことのないお前に何ができる」と、まったく聞く耳を持たない私を半ば呆れたように見送ってくれた。「何ができる」のではなく、世界史が動く現場にただ飛び込みたかったのだ。24歳の向こう見ずの青年だった。

ゲリラの事務所に毎日のように足を運び、何とか国境を越えアフガニスタンに入って記事にしたものの、名もない雑誌のグラビアに載っただけであった。それでも、世界の現実に触れた高陽感がその後の私の人生を決定付けた。

アフガニスタンに何度も通いながら、ボスニアやチェチェンなどの紛争地を取材するなかで、不条理や不正義に否応なしに出会うことになる。目撃者となり、それを伝えることが仕事となった。

「何でそんな危険な所に行くのか」と尋ねられることがある。「仕事」であると答えると同時に、なぜ「そこが危険なのか」を知ったのだろうか、と問いたくなる。

それは、ジャーナリストが伝えたからに他ならない。ジャーナリストは、現場に赴かなければ伝えることはできない。地べたを這ってこそ情報の意味と価値がある。

毎年、世界の紛争地や戦場、不正義の横行する国で多くのジャーナリストが命を落とし、怪我をし投獄されている。彼らが報道したからなのだ。

私の若かりし衝動は、いつしか情熱に変わっていった。歴史的な出来事に立ち会いたい、不条理に生きざるをえない人たちの生き様を伝えたい。たとえ大切な人を失っても、戦争という現実を伝えたい。情熱に侵《おか》された私は、理解されなくてもいまだ情熱の虜《とりこ》となっている。

本書を世に送り出すきっかけをつくってくれた作家の明野照葉氏、ＰＨＰ研究所マーケティングコミュニケーション部担当部長の根本騎兄氏。また、私の溜め込んでいた頭の中の引き出しから40年間を整理してくださった同ビジネス・教養出版部編集長の白地利成氏に感謝したい。

最後に、志半ばで倒れた友たちに哀悼の意を捧げる。

佐藤和孝［さとう・かずたか］

1956年生まれ。ジャーナリスト・ジャパンプレス主宰・山本美香記念財団代表理事。24歳よりアフガニスタン紛争の取材を開始。その後、ボスニア・ヘルツェゴビナ紛争、アメリカ同時多発テロ、イラク戦争などで取材を続け、2003年にはボーン・上田記念国際記者賞特別賞を受賞。著書に『アフガニスタンの悲劇』(角川書店)、『戦場でメシを食う』(新潮新書)、『戦場を歩いてきた』(ポプラ新書)などがある。

タリバンの眼《め》

戦場で考えた

（PHP新書 1292）

二〇二一年十二月二十八日　第一版第一刷

著者――佐藤和孝
発行者――永田貴之
発行所――株式会社PHP研究所
東京本部――〒135-8137 江東区豊洲5-6-52
　第一制作部 ☎03-3520-9615（編集）
　普及部 ☎03-3520-9630（販売）
京都本部――〒601-8411 京都市南区西九条北ノ内町11
組版――有限会社メディアネット
装幀者――芦澤泰偉＋児崎雅淑
印刷所
製本所――図書印刷株式会社

ISBN978-4-569-85145-7

PHP新書

PHP INTERFACE
https://www.php.co.jp/

ＰＨＰ新書刊行にあたって

「繁栄を通じて平和と幸福を」(PEACE and HAPPINESS through PROSPERITY)の願いのもと、ＰＨＰ研究所が創設されて今年で五十周年を迎えます。その歩みは、日本人が先の戦争を乗り越え、並々ならぬ努力を続けて、今日の繁栄を築き上げてきた軌跡に重なります。

しかし、平和で豊かな生活を手にした現在、多くの日本人は、自分が何のために生きているのか、どのように生きていきたいのかを、見失いつつあるように思われます。そして、その間にも、日本国内や世界のみならず地球規模での大きな変化が日々生起し、解決すべき問題となって私たちのもとに押し寄せてきます。

このような時代に人生の確かな価値を見出し、生きる喜びに満ちあふれた社会を実現するために、いま何が求められているのでしょうか。それは、先達が培ってきた知恵を紡ぎ直すこと、その上で自分たち一人一人がおかれた現実と進むべき未来について丹念に考えていくこと以外にはありません。

その営みは、単なる知識に終わらない深い思索へ、そしてよく生きるための哲学への旅でもあります。弊所が創設五十周年を迎えましたのを機に、ＰＨＰ新書を創刊し、この新たな旅を読者と共に歩んでいきたいと思っています。多くの読者の共感と支援を心よりお願いいたします。

一九九六年十月

ＰＨＰ研究所

1274 日本を前に進める　河野太郎

［経済・経営］

187 働くひとのためのキャリア・デザイン　金井壽宏
379 なぜトヨタは人を育てるのがうまいのか　若松義人
450 トヨタの上司は現場で何を伝えているのか　若松義人
543 ハイエク 知識社会の自由主義　池田信夫
587 微分・積分を知らずに経営を語るな　内山 力
594 新しい資本主義　原 丈人
620 自分らしいキャリアのつくり方　高橋俊介
752 日本企業にいま大切なこと　野中郁次郎／遠藤 功
852 ドラッカーとオーケストラの組織論　山岸淳子
892 知の最先端　クレイトン・クリステンセンほか［著］／大野和基［インタビュー・編］
901 ホワイト企業　高橋俊介
932 なぜローカル経済から日本は甦るのか　冨山和彦
958 ケインズの逆襲、ハイエクの慧眼　松尾 匡
985 新しいグローバルビジネスの教科書　山田英二
998 超インフラ論　藤井 聡
1023 大変化――経済学が教える二〇二〇年の日本と世界　竹中平蔵
1027 戦後経済史は嘘ばかり　髙橋洋一
1029 ハーバードでいちばん人気の国・日本　佐藤智恵
1033 自由のジレンマを解く　松尾 匡
1080 クラッシャー上司　松崎一葉
1084 セブン-イレブン1号店 繁盛する商い　山本憲司
1088 「年金問題」は嘘ばかり　髙橋洋一
1114 クルマを捨ててこそ地方は甦る　藤井 聡
1136 残念な職場　河合 薫
1162 なんで、その価格で売れちゃうの？　永井孝尚
1166 人生に奇跡を起こす営業のやり方　田口佳史／田村 潤
1172 お金の流れで読む 日本と世界の未来　ジム・ロジャーズ［著］／大野和基［訳］
1174 「消費増税」は嘘ばかり　髙橋洋一
1175 平成の教訓　竹中平蔵
1187 なぜデフレを放置してはいけないか　岩田規久男
1193 労働者の味方をやめた世界の左派政党　吉松 崇
1198 中国金融の実力と日本の戦略　柴田 聡
1203 売ってはいけない　永井孝尚
1204 ミルトン・フリードマンの日本経済論　柿埜真吾
1220 交渉力　橋下 徹
1230 変質する世界　Voice編集部［編］
1235 決算書は3項目だけ読めばいい　大村大次郎
1258 脱GHQ史観の経済学　田中秀臣
1265 決断力　橋下 徹

［**社会・教育**］

1219 本屋を守れ　藤原正彦
1223 教師崩壊　妹尾昌俊
1229 大分断　エマニュエル・トッド[著]／大野 舞[訳]
1231 未来を見る力　河合雅司
1233 男性の育休　小室淑恵／天野 妙
1234 AIの壁　養老孟司
1239 社会保障と財政の危機　鈴木 亘
1242 食料危機　井出留美
1247 日本の盲点　開沼 博
1249 働かないおじさんが御社をダメにする　白河桃子
1252 データ立国論　宮田裕章
1262 教師と学校の失敗学　妹尾昌俊
1263 同調圧力の正体　太田 肇
1264 子どもの発達格差　森口佑介
1271 自由の奪還　アンデシュ・ハンセン他[著]／大野和基[インタビュー・編]
1277 転形期の世界　Voice編集部[編]
1280 東アジアが変える未来　Voice編集部[編]
1281 5000日後の世界　ケヴィン・ケリー[著]／大野和基[インタビュー・編]／服部桂[訳]
1277 転形期の世界　Voice編集部[編]

[思想・哲学]

032 〈対話〉のない社会　中島義道
058 悲鳴をあげる身体　鷲田清一
086 脳死・クローン・遺伝子治療　加藤尚武
204 はじめての哲学史講義　鷲田小彌太
468 「人間嫌い」のルール　中島義道
492 自由をいかに守るか ハイエクを読み直す　渡部昇一
856 現代語訳 西国立志編　サミュエル・スマイルズ[著]／中村正直[訳]／金谷俊一郎[現代語訳]
1117 和辻哲郎と昭和の悲劇　小堀桂一郎
1159 靖國の精神史　小堀桂一郎
1215 世界史の針が巻き戻るとき　マルクス・ガブリエル
1251 つながり過ぎた世界の先に　マルクス・ガブリエル[著]／大野和基[インタビュー・編]／髙田亜樹[訳]